これは，昔，山部赤人という人がよんだ短歌です。
静岡県のはまべに出て，遠くをながめました。
富士山の上のほうが雪で真っ白になっています。

三保の松原
富士山
静岡県
駿河湾

三保の松原から見た富士山　静岡県 静岡市

目次 ••••

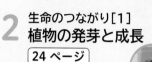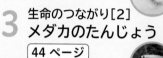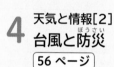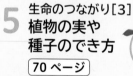
5年の理科は
このように
進めていこう。

見つけよう

🔭 問題を見つける

❓ 問題

調べよう

💭 予想

5年の学習で特に
大切なところです。

📖 計画

🔬 観察

📋 実験

📖 結果

伝えよう

💭 考察

❗ 結論

ページによっては,
省略されている
マークもあります。

理科の学び方 ようこそ! 理科の世界へ

理科では，自然の中から見つけた問題を調べます。
次のように，計画を立てたり，調べたりして，
自然を解き明かしていきましょう。

> いっしょに楽しく
> 学んでいこう。

① 問題を見つけよう

気づいたことを整理して，「どうなるだろう」
「なぜだろう」から問題を作っていこう。

② 予想しよう

問題について，予想しよう。なぜそのように
予想したのか，理由もはっきりさせよう。

③ 計画を立てよう

予想を確かめるために，条件をどのように
整えて調べたらよいか考えよう。

④ 調べよう

変える条件・変えない条件を整えて，
観察や実験をしよう。

⑤ 記録しよう

観察や実験の結果や，気づいたことを
記録しよう。

ふり返ろう

⑥ 考えよう

調べた結果を表やグラフなどを使って整理しよう。
予想したことなどをふり返り，整理した結果から
わかることを考えよう。

⑦ まとめよう

原因や調べた方法と結果を関係づけて，
わかったことをまとめよう。自分と友達の
発表を比べて，考えを深めよう。

話し合いのしかた

- 自分の意見をわかりやすくはっきり
  説明しよう。
- 考えた理由を説明しよう。
- 友達の意見は最後までしっかり聞こう。
- わからないことは質問しよう。
- 自分とちがう考えでもまちがいと
  決めつけないで，じっくり聞こう。

3

教科書の使い方

この教科書は，次のように使おう。

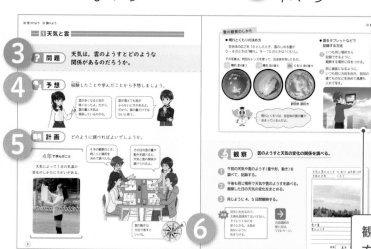

6 ページ

7 ページ

見つけよう

1 「天気の変化」の初めのページを開いたところです。この写真のように，1日の中で，時こくを変えて，雲のようすを観察してみよう。

2 気づいたことについて話し合おう。

この場面で，どこに注目したらよいかのヒントです。初めのページにあります。

8 ページ

9 ページ

調べよう

3 2の話し合いをもとに問題文を作ろう。

4 問題文についての予想をしよう。予想した理由も書こう。

5 予想を確かめるための計画を立てよう。

6 「注意」や「ポイント」を確かめながら観察をしよう。

観察のために，いろいろな方法をくわしく説明しています。

登場するキャラクター

みんなにヒントやポイントを伝えるよ。

マーメ先生

わたしたちもよろしくね。

いっしょに楽しく学んでいこう。

教科書に使われているマーク

注意 きけんがないように気をつけよう。

ポイント 観察・実験などをするときに，気をつけよう。

◯◯の使い方 器具などの使い方やいろいろな方法を学ぼう。

◯◯で学んだこと ほかの教科や下の学年で学んだことを参考にしよう。

── 別の方法 ── 別のものや別の方法をしょうかいしています。

伝えよう

⑦ 結果を記録しよう。

結果を観察記録で示しています。

⑧ 予想と結果を比べて，友達と話し合って考えよう。

⑨ みんなの考えたことをまとめて，わかったことを書こう。

⑩ 資料を読んで学習を深めよう。

⑪ 各単元の最後にある「確かめよう」や「学んだことを生かそう」にもちょう戦しよう。その後，初めのページにもどって学習をふり返ろう。

学習したことを確かめるためのまとめの問題です。

学んだことを生かして学習を深める問題です。

10 ページ　　11 ページ

22 ページ　　23 ページ

 りかのたまてばこ
学んだことに関わる読みものなどの資料です。

TRY! 深めよう
学んだことを生かして，学習を深めよう。

はってん
もっと広く，深く学習したい人は，チャレンジしよう。

ESD
ESDは，「イー・エス・ディー」と読みます。地球の未来について考えよう。

かん境
自然の大切さについて考えよう。

防災
災害を防ぐことについて考えよう。

理科と仕事
理科と仕事の関わりについて考えよう。

伝統
日本の伝統や文化への関心を高めよう。

科学技術
科学技術への関心を高めよう。

英語ABC
英語の表現を見て関心を高めよう。

下のウェブサイトを見て参考にしよう。

【たのしい理科ウェブ】
https://www.dainippon-tosho.co.jp/web/rika/

1 天気と情報 [1] 天気の変化

1日のうちでも，天気が変わることがあります。
天気の変化を見て，気づいたことを話し合いましょう。

雲のようすを
よく見てみよう。

雲の量が
変わったよ。

雲が動いて
いったよ。

1 天気と雲

？ 問題
天気は，雲のようすとどのような関係があるのだろうか。

予想
経験したことや学んだことから予想しましょう。

> 雲が多くなると空が暗くなったよ。だから，雲の量と天気は関係しているのかな。

> 雲が増えても雨がふらないときがあるよ。だから，雲の量だけではないと思う。

計画
どのように調べればよいでしょうか。

4年で学んだこと

天気によって1日の気温の変化のしかたにちがいがある。

> 4年の観察のとき，時こくと場所を決めて調べたね。

> その日の雲の量や動きを調べると，天気と雲の関係が調べられるよ。

> 雲の動きは方位で表すといいね。

雲の観察のしかた

● 晴れとくもりの決め方

空全体の広さを 10 としたとき，雲のしめる量が
0 ～ 8 のときは「晴れ」，9 ～ 10 のときは「くもり」。

下の写真は，特別なレンズを使って，空全体を写したもの。

 晴れ 雲の量 3　　 晴れ 雲の量 8　　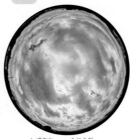 くもり 雲の量 9

静岡県 藤枝市

晴れとくもりは，空全体の雲の量で
決まっているんだよ。

● 雲をタブレットなどで 記録する方法

① いつも同じ場所から
記録できるように，
観察する場所に印をつける。

② 同じ画面になるように，
いつも同じ方向を向き，目印の
建てものなどを決めて風景も
入れて写す。

観　察　雲のようすと天気の変化の関係を調べる。

① 午前の天気や雲のようす（量や形，動き）を
調べて，記録する。

② 午後も同じ場所で天気や雲のようすを調べる。
観察した日の天気の変化をまとめる。

③ 同じように 4，5 日間観察する。

注意　目をいためるので，
太陽を直接見てはいけない。
タブレットなどを
使うときも，太陽を
見ないように
気をつける。

→　方位磁針の
使い方は，
178 ページ。

天気と雲のようす	4 月13 日午前 10時
午前の天気	くもり

雲の量
雲のようす

名前　島本 ちか

📖 結 果

天気と雲のようす　4月13日午前10時
午前の天気　　くもり

雲の量　空全体に広がっていた。
雲のようす
　形は、はっきりわからなかった。
　動きは、とても速かった。
　西のほうから東のほうへ動いていた。
名前　島本　ちか

天気と雲のようす　4月13日午後2時
午後の天気　　晴れ

雲の量　少なかった。
雲のようす
　わたのような雲があった。
　動きは、午前と比べて動きがおそく、
ゆっくりと東のほうへ動いた。
名前　島本　ちか

天気と雲のようす　4月17日午前10時
午前の天気　　くもり

雲の量　空全体に広がっていた。
雲のようす
　形は、もくもくとした大きなかたまりの
雲が見られた。動きは、南西のほうから
南東のほうへゆっくり動いていた。
名前　島本　ちか

天気と雲のようす　4月17日午後2時
午後の天気　　雨

雲の量　空全体に広がっていた。
雲のようす
　形は、はっきりわからなかった。
　動きも、雲の形がはっきりして
いなかったので、わからなかった。
名前　島本　ちか

🗣 考 察　結果からいえることを話し合いましょう。

自分の予想をふり返って、結果からどのようなことがいえるか話し合おう。

雨がふってきたときは、雲の種類が変わったよ。

予想どおり、天気と雲のようすには関係があるみたい。

❗ 結 論

天気は、雲の量や動きと関係がある。

天気は、雲の量が増えたり減ったりすることや、

雲が動くことによって変化している。雲にはいろいろな

種類があり、中には雨をふらす雲もある。

いろいろな雲をさがそう!

空には，いろいろな種類の雲が見られます。雲は，形や高さのちがいで分けられています。いろいろな種類の雲を見つけてみましょう。

いろいろな種類の雲があるよ。

巻積雲
高い空に見られる丸く小さな白い雲。うろこ雲やいわし雲ともよばれている。
北海道 別海町

巻雲
高い空に見られるはけでかいたような白い雲。すじ雲ともよばれている。
北海道 喜茂別町

乱層雲
低い空に広がる厚いはい色または黒い雲。雨をふらすので雨雲ともよばれている。
鹿児島県 指宿市

層積雲
低い空に見られるいろいろな形がある雲。うね雲ともよばれている。
神奈川県 相模原市

積乱雲
低い空から高い空まで広がる雲。夏によく見られる雲で，入道雲やかみなり雲ともよばれている。この雲が，急な大雨や台風をもたらす。冬の日本海側では大雪をふらす。
東京都 板橋区

2 天気の変化

? 問 題　天気はどのように変わっていくのだろうか。

予 想　これから先の天気がどのようになるか，経験^{けいけん}したことや学んだことから予想しましょう。

雲の動きは，時間がたつと，決まった方位に動いたから，天気の変化も決まりが…

雲のようすを調べたら，天気は予想できそう。

天気がどのように変わるのかは，空を観察するだけだとわからないと思う。

計 画　どのように調べればよいでしょうか。

もっと広いはん囲^いの雲の動きを見たらどうかな。

気象情報^{きしょうじょうほう}は，インターネットやテレビ，新聞などから手に入れられるよ。

東京都^{とうきょう} 文京区^{ぶんきょう}

4，5日間，同じ時間に資料^{しりょう}を集めて比^{くら}べたいね。

気象情報の読みとり方

気象衛星の雲画像やアメダスの雨量情報などから各地の天気を調べる。

また，数日間の情報をもとに，雲の動きや雨のふっている地いきの変化を調べる。

地いきのおよその天気は雲画像からは雲があること，雨量情報からは雨がふっていることがわかるね。

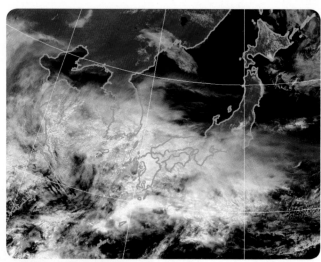

気象衛星の雲画像

雲画像の白いところが，雲を表している。

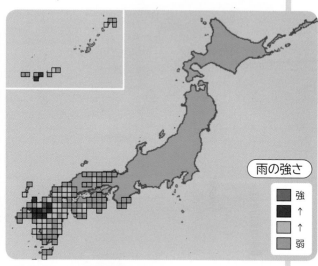

雨の強さ

■ 強
■ ↑
■ ↑
■ 弱

アメダスの雨量情報

上の画面では，雨量を「弱」から「強」の色分けで示している。

📖 調べる　気象情報と天気の変化の関係を調べる。

① インターネットやテレビ，新聞などから連続した数日間の気象情報を集める。

② 集めた気象情報を日付順にならべて，雲のようすや天気の変化について調べる。または，14，15ページの資料をもとに調べる。

結 果

	午前12時の雲画像	午前11時から12時の雨量	福岡

福岡

4月26日
午前12時の雲画像

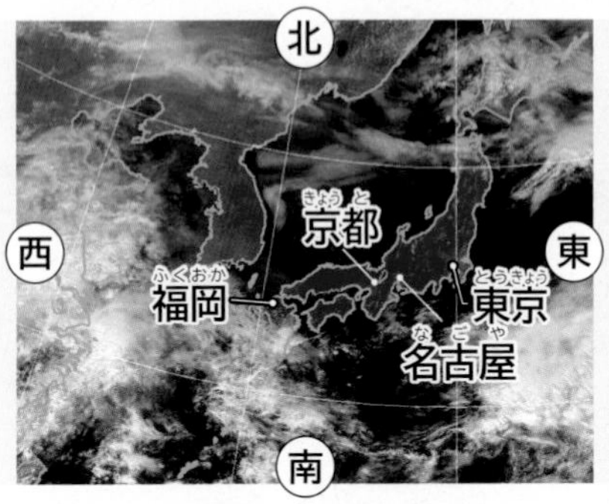

北 / 西 / 東 / 南
京都 福岡→ 東京 名古屋

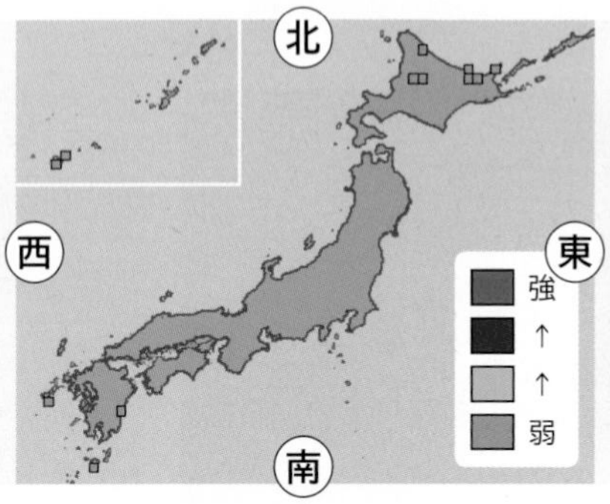

午前11時から12時の雨量

北 / 西 / 東 / 南
強 ↑ ↑ 弱

4月27日
北 / 西 / 東 / 南

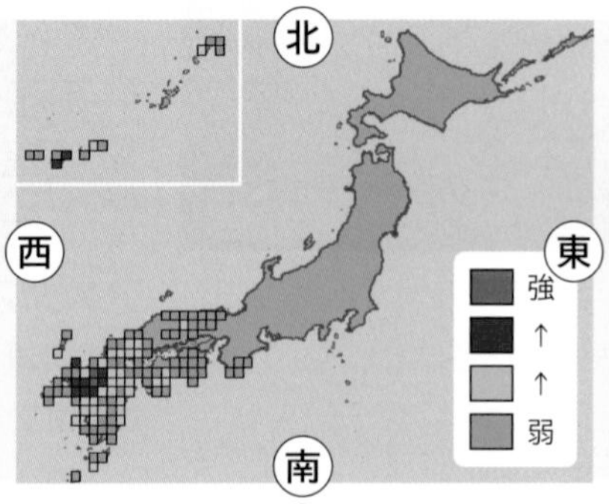

北 / 西 / 東 / 南
強 ↑ ↑ 弱

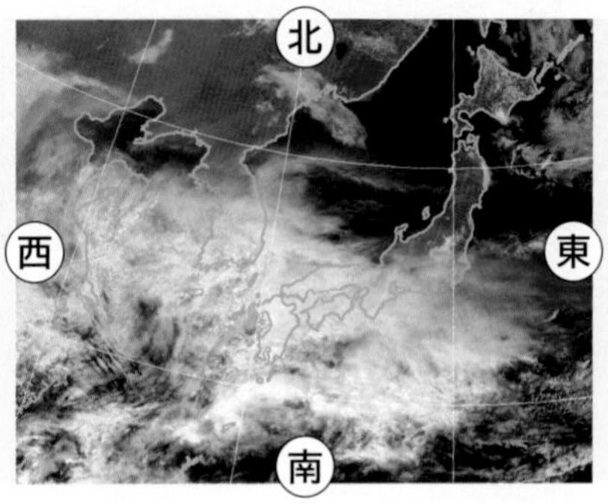

4月28日
北 / 西 / 東 / 南

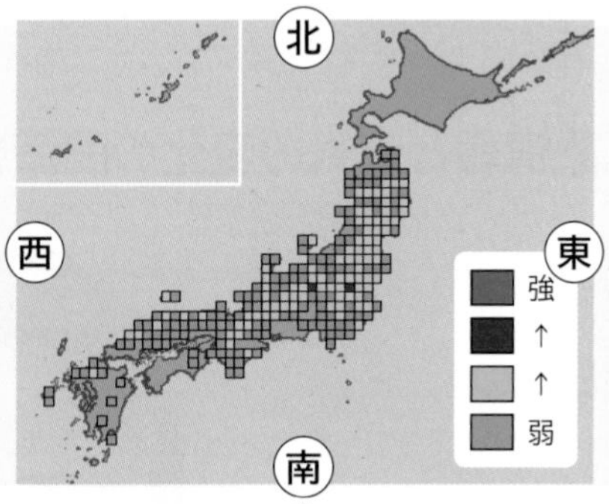

北 / 西 / 東 / 南
強 ↑ ↑ 弱

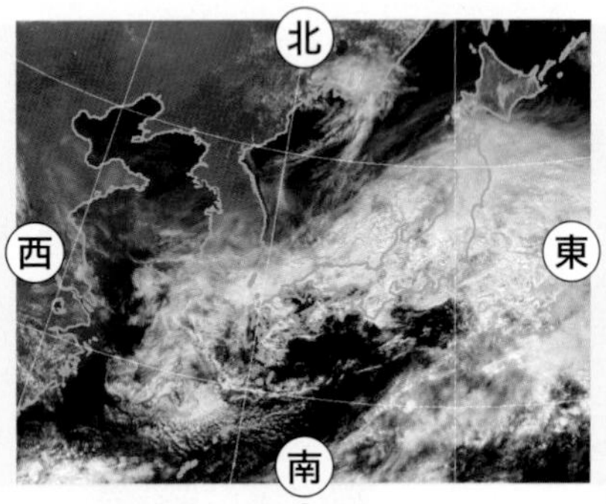

4月29日
北 / 西 / 東 / 南

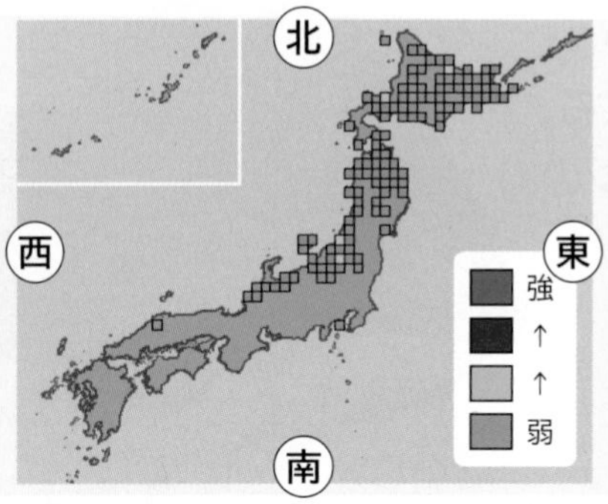

北 / 西 / 東 / 南
強 ↑ ↑ 弱

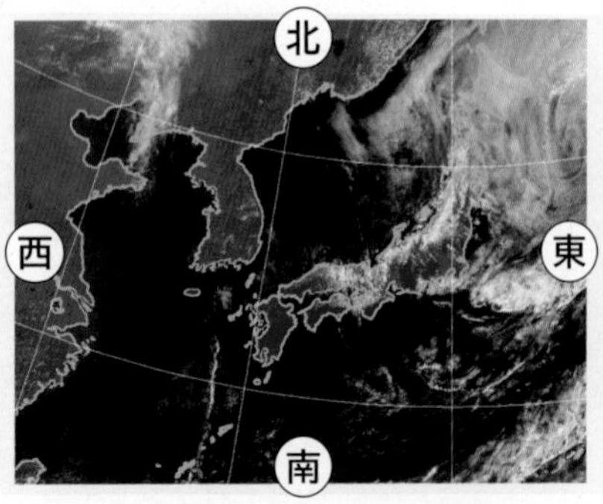

京都 名古屋 東京

！ 結論

春のころの日本付近では，

雲が西から東へと動いていくので，

天気もおよそ西から東へと変わっていく。

このことから，次の日の天気を予想することができるかな。

TRY! 深めよう

明日の天気を予想してみよう！

昨日と今日の気象情報をもとに，わたしたちの住んでいる場所の明日の天気を予想しましょう。

午前12時の雲画像

午前11時から12時の雨量

	北		北
昨日	西　東		西　東
	南		南
今日	北		北
	西　東		西　東
	南		南

強
↑
↑
弱

雲が東に動いていくと，わたしたちが住んでいる場所の天気は…

雨がふっているところが東に動くから，明日の天気は…

Science WORLD サイエンスワールド

季節によって変わる天気の変化

日本付近の天気の変化は，季節によって特ちょうが見られます。

● つゆ（梅雨）

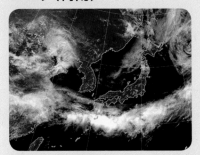

梅雨のころの雲画像
2017年6月23日

　6〜7月の天気は，西から東にかけて雲が広がり，くもりや雨の日が続く。このころの時期は，つゆ（梅雨）とよばれる。

● 夏

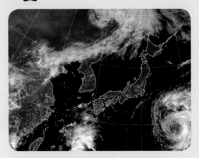

夏のころの雲画像
2016年8月7日

　晴れの日が続き，気温が高く上がり，そして，むし暑くなる。また，台風が日本付近に近づいてくる。

● 秋

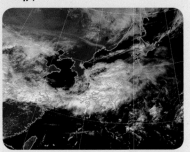

秋のころの雲画像
2017年10月2日

　9〜10月初めの天気は，雨の日が多くなる。その後，さわやかな晴れの日が多くなる。

● 冬

冬のころの雲画像
2018年1月25日

　日本海側ではくもりや雪の日が続く一方，太平洋側では晴れの日が続く。

太平洋側の晴れのようす　静岡県 三島市

日本海側の雪のようす
山形県 尾花沢市

中学校2年「日本の天気の特ちょう」で学ぶ内容です。

天気と生活はどう関わっている？

天気のいい習わし

　昔は，現在のように天気に関する
情報がなかったので，
当時の人々は，雲や空のようすなどを見て
天気を予想していました。

飛行機雲がなかなか
消えないと雨

千葉県 成田市

夕焼けのときは，
明日，晴れ

大分県 豊後高田市

● 各地のいい習わしの例

白鷹山に雲がかかると，
まもなく雨がふる（山形県 村山地方）

御荷鉾の三束雨（群馬県南部）

黒髪おろしは暴風のきざし
（佐賀県 西松浦郡）

御荷鉾山の方向に積乱雲が発生
すると，麦を三束たばねないうちに
かみなりや大雨がくるという意味。

黒髪山から風がふきおろしてくる
ときは，後にとても強い風がふいたり，
大雨がふったりするという意味。

富士山に，かさ雲が
かかると雨

静岡県 御殿場市

自分の住んでいる
地いきでは，どのような
天気のいい習わしが
あるかな。調べてみよう。

天気予報と生活の利用

天気予報は，今ではわたしたちの生活に
欠かせないものです。
どのように利用されているのでしょうか。

● 天気予報とスポーツ

天気予報は，スポーツと深く関わっています。現地の天気を
あらかじめ知ることで，選手やチームのほかに，スポーツの
大会に向けて多くの人が，安全に楽しく見られるように
なります。特に，気象情報会社では，気象情報を伝えることで，
選手やチームには試合当日までの練習のメニューや
作戦を組み立てることに協力しています。

2016年に行われたリオデジャネイロオリンピック・
パラリンピックではラグビーをはじめ，日本代表7競技
18チームの支えんを行っていました。

2020年には東京オリンピック・パラリンピックが夏に
行われます。さまざまな天気に備えて，
より正確な気象情報を伝えることで，
選手などの手伝いができるよう期待されています。

リオデジャネイロの大会当日の現地の
天気予報を説明しているようす。

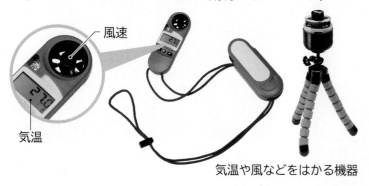

- 風速
- 気温

気温や風などをはかる機器

さまざまな気象情報が送られてくる。

気象情報会社
スポーツ気象チーム
浅田　佳津雄さん

　屋外のスポーツでは，当日の天気を
知ることが大切だと思います。
　前もって試合の日の天気予報を，
確にんすることは，自分の力を出す
ために，必要なことです。試合までに
どのように準備をすればいいのか，
天気によって変わります。
　また，事前に天気がわかれば，
スポーツを見たり，したりすることが
楽しくなるのではないかなと思います。

気象情報のデータと雨をふらす雲

気象衛星とアメダス（地いき気象観測システム）

わたしたちは，テレビや新聞，インターネットなどで
全国各地の天気のようすを知ることができます。
この気象情報は，気象衛星やアメダスなどの
データをもとに作られています。

● 気象衛星

気象衛星は，地球上の広いはん囲の雲のようすや
動きを上空からとらえ，そのデータを地上に
送ってきます。このデータをもとにして作られた
ものが，テレビなどで見る雲画像です。

気象衛星「ひまわり」

アメダスの観測そうち　　山口県 下関市

● アメダス

アメダスは，全国の気象観測所から自動的に
送られてくる地上で観測された気象データを，
気象ちょうに集め，コンピュータでしょ理して
全国の気象台などに送るシステムです。

テレビなどで見る，13ページのような
アメダスの画像は，全国のアメダスデータを
図に表したものです。

雨をふらす雲

　雨をふらす雲には，乱層雲や積乱雲などがあります。
　乱層雲と積乱雲はどちらも雲が厚く，日光をさえぎるので，
下から見ると黒っぽく見えます。
　同じ雨をふらす雲でも，雨のふり方などにちがいがあります。

● 乱層雲

・ 低い空に広く発生するので，高い
　建てものや山をかくすことがあり，一定の
　形がない雲である。
・ 雨のふり方は強くないが，広い地いきに雨を
　長時間ふらすことが多い。

乱層雲　　　　　　　神奈川県 茅ヶ崎市

● 積乱雲

・ 雨のふる地いきは広くないが，短時間に大量の
　雨やひょうをふらす。また，強い風がふき，
　たつ巻が発生することがある。
・ かみなりを発生させ，地上にかみなりが落ちる
　ことがある。

たつ巻　　　　　　　千葉県 いすみ市

● 集中ごう雨

　特に積乱雲が大きく発達すると，
その地いきに集中して，
はげしく大量の雨を
ふらすことがあります。
そのため，こう水などの
ひ害が起こることがあります。

集中ごう雨　　東京都 千代田区

天気の変化について，学んだことを
確かめましょう。

❶ 天気の変化と雲のようすの
関係について説明しましょう。

東京都 墨田区

❷ 春のころの日本付近の天気は，
どのように
変わっているでしょうか。

❸ 気象情報を集めて，天気の変化について調べました。

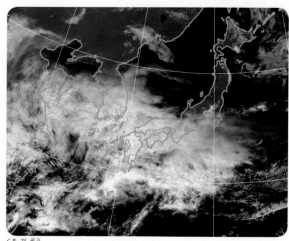

雲画像

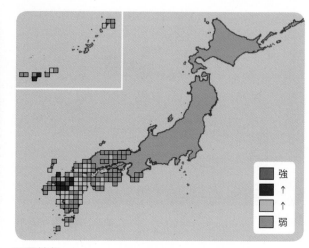

強
↑
↑
弱

雨量情報

㋐ 上の２つの情報は，どこから得ることができるのでしょうか。

㋑ この２つの情報から調べられることを，
それぞれ A ～ D から選んで，記号で答えましょう。
A 各地にふった雨の量がわかる。
B 各地の気温の変化がわかる。
C 雲のようすがわかる。
D 風の強さや風の向きがわかる。

学んだことを生かして，
問題にちょう戦してみましょう。

❶ 下の気象情報をもとにして，天気について考えましょう。

⑦ 5月3日，4日の福岡，大阪，東京の天気は，
どうなっているでしょうか。

⑦ 5月5日の朝，かさが必要なのは，
福岡，大阪，東京のどこでしょうか。

午前12時の雲画像

午前11時～12時の雨量

5月3日

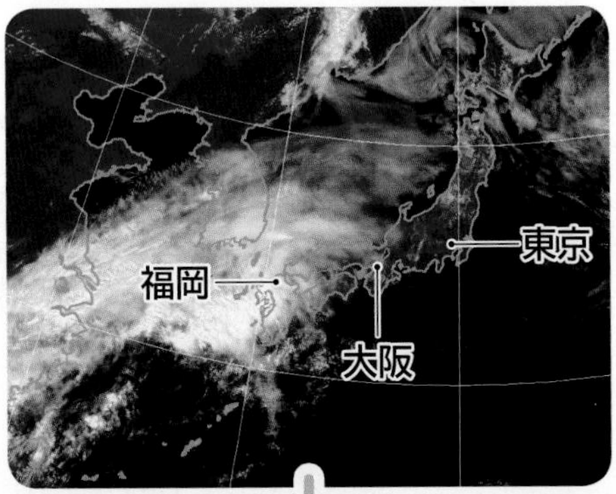

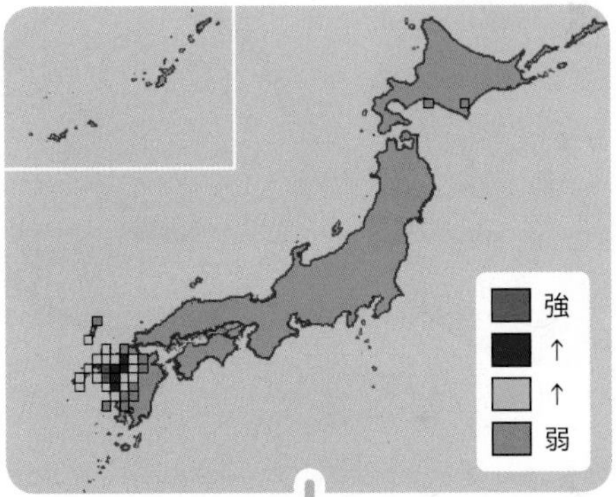

5月4日

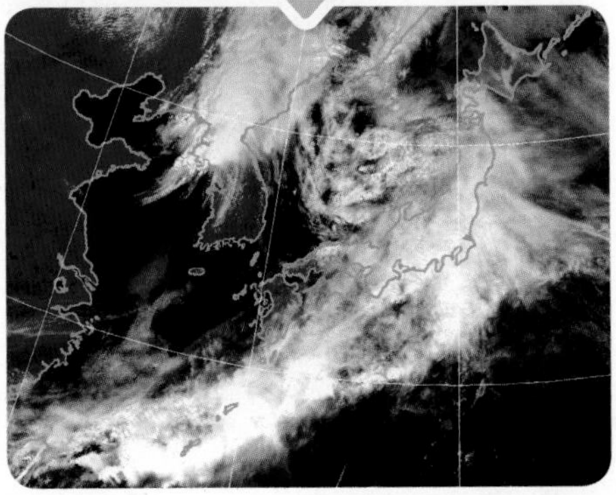

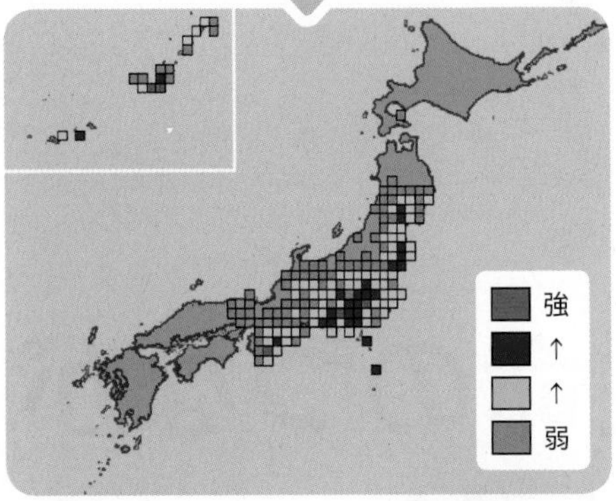

福岡　　　　東京
大阪

強
↑
↑
弱

❷ 学校の行事のある日の天気を，
自分で情報を集めて予想してみましょう。

明日は
晴れるかな。

植物の実の中には種子がある。

ホウセンカ

実

 種子の説明は，
85 ページ。

種子

ツルレイシ

実

種子

3年 で学んだこと

植物は種子から
発芽し，子葉が出て
成長していく。

2···

生命のつながり［1］
植物の発芽と成長

春は，いろいろな植物が芽を出すようすを見ることができます。
植物の種子から芽が出ることを**発芽**といいます。
発芽に必要な条件について，気づいたことを話し合いましょう。

種子をまいた後は
いつも水やりをしていたね。
発芽には，水が必要なのかな。

春に発芽するのは，
あたたかい季節
だからかな。

空気や肥料は
必要なのかな。

インゲンマメ

植物は，
どのような条件が
そろうと発芽するのか
見てみよう。

1 発芽の条件

最初に，発芽に水が必要かどうか調べてみましょう。

[発芽に水が必要か調べよう]

❶ 2つのカップ㋐と㋑にだっし綿を入れ，
㋐には水を入れて，だっし綿をしめらせる。

❷ ㋐と㋑のだっし綿の上にインゲンマメの種子を置く。

㋐ 水でしめらせている。　　　　　　　　㋑ かわいている。

プラスチックのカップ　　　だっし綿

水を入れた㋐のインゲンマメは
発芽し，水を入れていない
㋑は発芽しませんでした。
このことから，発芽に水が
必要であることがわかります。

この実験で発芽した
ということは，
発芽に肥料は
いらないんだね。

ポイント

35ページの実験2に
使うので，発芽した
インゲンマメは
そのまま育て続ける。

? 問題 種子が発芽するために，水のほかに何が必要なのだろうか。

★ 計画 25ページで考えた発芽に必要な条件について，どのように調べればよいでしょうか。

26ページの実験では，水が必要か調べたから水の条件だけを変えたよ。

水が必要か調べたとき

		㋐	㋑
変える条件	水	あり	なし
変えない条件	空気	あり	
変えない条件	温度	同じ温度のところ（約20℃）	
	結果	発芽した。	発芽しなかった。

実験を行うときは，
条件を1つだけ変えて，
ほかの条件をそろえて調べる
ことが大切です。

では，空気が必要か調べたいから，空気の条件だけを変えればいい。

空気が必要か調べるとき

		㋒	㋓
変えない条件	水	あり	
変える条件	空気		
変えない条件	温度		

→ 📏 実験 1-1

温度が関係しているかを調べたいから，温度の条件だけを変えるよ。

温度が関係しているか調べるとき

		㋔	㋕
変えない条件	水	あり	
変えない条件	空気		
変える条件	温度		

→ 📏 実験 1-2

実験 1-1　発芽に空気が必要かどうか，条件を整えて調べる。

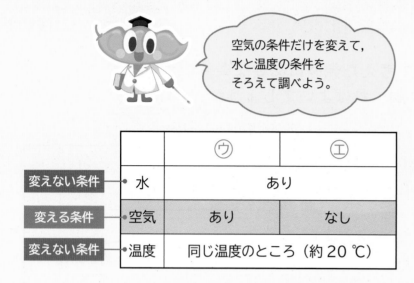

空気の条件だけを変えて，水と温度の条件をそろえて調べよう。

	⑦	⑤
変えない条件 ← 水	あり	
変える条件 ← 空気	あり	なし
変えない条件 ← 温度	同じ温度のところ（約20℃）	

❶ 2つのカップ⑦と⑤にだっし綿を入れて水でしめらせ，それぞれにインゲンマメの種子を置く。

❷ ⑤には，さらに水を加えて種子を水にしずめ，種子が空気にふれないようにする。

実験 1-2　発芽に温度が関係するかどうか，条件を整えて調べる。

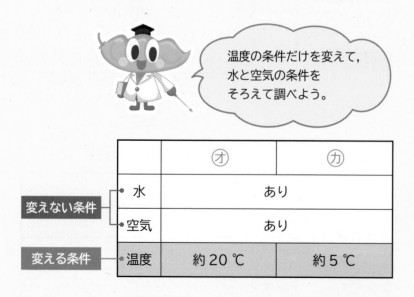

温度の条件だけを変えて，水と空気の条件をそろえて調べよう。

	㋔	㋕
変えない条件 ← 水	あり	
変えない条件 ← 空気	あり	
変える条件 ← 温度	約20℃	約5℃

❶ 2つのカップ㋔と㋕にだっし綿を入れて水でしめらせ，それぞれにインゲンマメの種子を置く。

❷ ㋔は，実験1-1と同じ場所に置いて箱をかぶせ，㋕は冷ぞう庫に入れる。

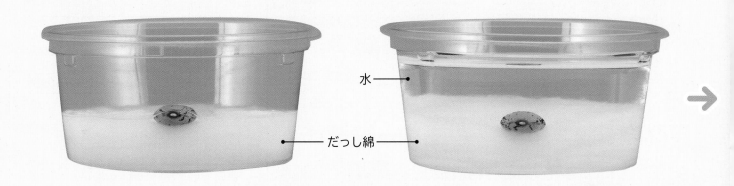

ウ 空気あり（種子が空気にふれている）

エ 空気なし（種子が空気にふれていない）

水 ——

だっし綿 ——

ポイント 水は，1度ふっとうさせて
冷ましたものを使うとよい。

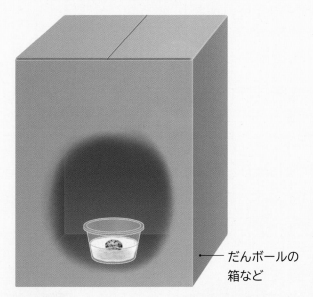

オ 部屋の中（約 20 ℃）

だんボールの
箱など

ポイント 冷ぞう庫はドアをしめると暗くなるので，
明るさの条件を同じにするために②を暗くする。

カ 冷ぞう庫の中（約 5 ℃）

ポイント 温度の条件を変えるために，
㋕は冷ぞう庫に入れる。

📖 結果

ⓦ 空気あり

ⓔ 空気なし

ⓞ 部屋の中（約20℃）

ⓚ 冷ぞう庫の中（約5℃）

結 果

実験1-1

	ⓦ	ⓔ
水	あり	
空気	あり	なし
温度	約20℃（同じ部屋の中）	
結果	発芽した。	発芽しなかった。

実験1-2

	ⓞ	ⓚ
水	あり	
空気	あり	
温度	約20℃（部屋の中）	約5℃（冷ぞう庫の中）
結果	発芽した。	発芽しなかった。

🗣 考察　結果からいえることを話し合いましょう。

空気のないⓔと温度の低いⓚは発芽しなかった。

発芽するかどうかは，空気と温度も関係あるんだね。

ポイント
35ページの実験2に使うので，発芽したインゲンマメはそのまま育て続ける。

❗ 結論

暗いところに置いたⓞも発芽したね。発芽に光は必要ないんだ。

種子が発芽するには，水，空気，発芽に適した温度の3つの条件が必要である。

理科と仕事

2000年前の花をさかせた
大賀一郎博士
<small>おおがいちろうはくし</small>

　1951年，千葉県千葉市の地下5mのどろの中から，
大賀一郎博士（1883〜1965年）と地元の小中学生たちがハスの実を
見つけました。その実は，2000年も前のものだと考えられました。

　2000年も前の実の種子でも発芽するのかと思われましたが，
発芽の条件を整えるとみごとに発芽し，花もさきました。
大賀博士の見つけたハスは大賀ハスとよばれ，
今では毎年たくさんの花をさかせ，
人々を楽しませてくれています。

花がさいた大賀ハスと
大賀一郎博士

ハスの花

郷土の森公園
<small>きょうどの もりこうえん</small>

東京都 府中市
<small>とうきょうと ふちゅう</small>

ハスの実

発芽に適した温度

インゲンマメの発芽に適した温度は 20 〜 30 ℃です。それよりも低い温度や高い温度になると，発芽しにくくなります。このように，種子にはそれぞれ発芽に適した温度があります。

	インゲンマメ	トマト	イネ	キュウリ
発芽に適した温度	20 〜 30 ℃	25 〜 30 ℃	約 30 ℃	25 〜 30 ℃

もともとあたたかい地いきで育った植物は，発芽に適した温度も高いものが多いよ。

● 発芽の条件を利用する

発芽の条件を利用して育てる食べものがあります。青果店やスーパーマーケットでいつでも買うことができるもやしです。もやしは，植物の名前ではありません。もやしは，ダイズやリョクトウ（緑豆）などの種子が発芽して成長したものです。

もやしはどれくらい昔から食べられていたのでしょうか。1000 年以上前には，すでに食べられていたと考えられています。日本で最も古い薬の本に，もやしについて書かれているからです。

それでは，今のもやしはどのように作られるのでしょうか。

昔から作られているもやし
（小野川豆もやし　山形県 米沢市）

① 豆（種子）をあらってきれいにしてから，決められた温度の水につける。しばらくすると発芽する。

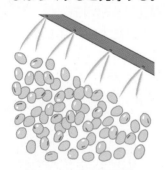

② 約 25 ℃に保たれた暗い部屋の中で時々水をかけて，5 〜 6 cm まで育てる。

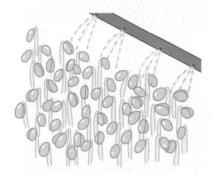

③ ふくろにつめられる。

上のようにして，種子の発芽の条件である水，空気，温度が整えられて，もやしが効率よく生産されています。そして，そのおかげでわたしたちはいつでももやしを食べることができます。

2 発芽と養分

🔭 問題を見つける

インゲンマメを育て続けると，
やがてくきがのび，
葉が出てきました。

葉

くき

子葉

根

葉が出るまで，肥料を
あたえなくても
成長したね。

種子の中に
成長に使う養分が
あったのかな。

 **問題** 種子の中には，発芽するために必要な養分がふくまれているのだろうか。

予想 成長したインゲンマメのようすから，予想しましょう。

子葉がだんだんしぼんでいったよ。

しぼんだのは，ここに養分があって，発芽に使われたからじゃないかな。

計画 どのように調べればよいでしょうか。

種子の中に，子葉があるんだね。

発芽する前と後の子葉にそれぞれ養分があるか，比べるといいね。

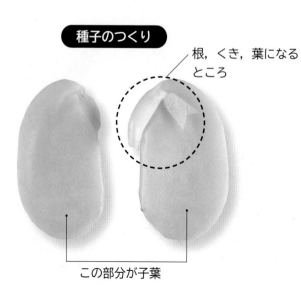

種子のつくり

根，くき，葉になるところ

この部分が子葉

ヨウ素液を使うと,
デンプンという養分が
あるかどうかわかるよ。

ヨウ素液の使い方

デンプンに
ヨウ素液をかけると,
青むらさき色に変化する。
これをヨウ素デンプン
反応という。

うすい茶色

青むらさき色

実 験 2　　種子に養分がふくまれているかどうか,
発芽して成長したものの子葉と比べながら調べる。

1 水にひたしておいた種子と,
発芽して成長したものの子葉を切る。

2 それぞれの切り口に,
ヨウ素液をかけて,
色の変化を比べる。

注意 カッターナイフで
けがをしないようにする。

ポイント
ヨウ素液は,こう茶くらいの
色のこさのものを使うとよい。

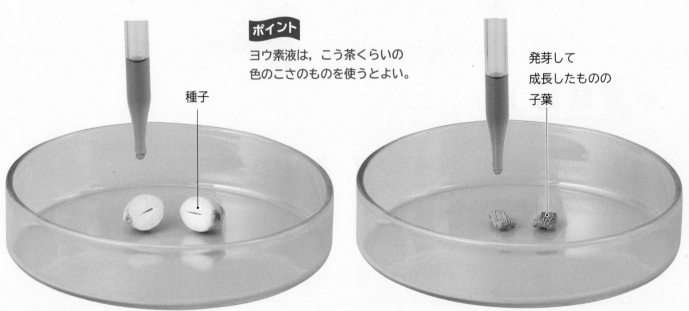

種子

発芽して
成長したものの
子葉

📖 結果

種子の子葉

ヨウ素液を
かける。

青むらさき色に
変化した。

発芽して成長したものの子葉

ヨウ素液を
かける。

色はあまり
変化しなかった。

考察　結果からいえることを話し合いましょう。

予想どおり，種子には
養分がふくまれて
いたね。

発芽して成長したものの
子葉は，デンプンが
なくなっているよ。

発芽のときに養分が
使われたと考えられるね。

！ 結論

種子には，発芽に必要な**デンプン**とよばれる
養分がふくまれている。

種子にふくまれる養分は，
発芽に使われて
ほとんどなくなるよ。

植物は，種子にふくまれている養分を使って発芽する。

3 植物の成長の条件

問題を見つける

この後,
インゲンマメを
大きく育てるには
どうしたらいいかな。

ホウセンカや
ツルレイシを
育てたとき,肥料を
土に混ぜたね。

日光の当たる
ところで
育てたよね。

? 問 題 植物の成長には,どのような条件が
関係するのだろうか。

計 画 どのように調べればよいでしょうか。

肥料と日光
それぞれについて,
あるときとないときを
比べるといいね。

日光が関係しているか調べるとき

		㋖	㋗
変える条件	日光	あり	なし
変えない条件	肥料	あり	

→ ■ 実 験 3-1

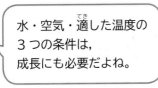
水・空気・適した温度の
3つの条件は,
成長にも必要だよね。

肥料が関係しているか調べるとき

		㋙	㋘
変えない条件	日光	あり	
変える条件	肥料	あり	なし

→ ■ 実 験 3-2

同じくらいの大きさに
成長したインゲンマメを,
条件を変えたはちに
植えかえて調べよう。

はちの作り方

① ペットボトルの真ん中に
カッターナイフで切れ目を入れ,
はさみで切りぬく。

注意
カッターナイフで
けがをしない
ようにする。

② 切り口にセロハンテープをはり,
パーライトを入れる。

セロハンテープ

パーライト

肥料

原液

6·10·5

ポイント 液体肥料は,決められた
とおりのこさにうすめて使う。
固形の肥料を使ってもよい。

実 験 3-1

成長に日光が必要かどうか,条件を整えて調べる。

① 同じくらいの大きさに成長した
インゲンマメを 2 本用意し,
はちにだっし綿ごと植えかえる。

② ㋖は室内の日光が当たるところに置き,
㋗は室内の日光が当たらないところに置く。
ほかの条件（水・空気・温度・肥料）を
同じにして，約 2 週間育てる。

実 験 3-2

成長に肥料が必要かどうか,条件を整えて調べる。

① 同じくらいの大きさに成長した
インゲンマメを 2 本用意し,
はちにだっし綿ごと植えかえる。

② ㋘には肥料をとかした水を入れ,
㋙には水のみを入れる。
ほかの条件（水・空気・温度・日光）を
同じにして，約 2 週間育てる。

キ 日光あり

肥料を
とかした水

パーライト

ク 日光なし

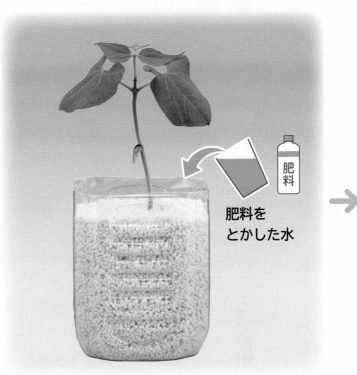

肥料を
とかした水

ケ 肥料あり

肥料を
とかした水

コ 肥料なし

水

📖 結果

⊕ 日光あり　　⊘ 日光なし

⊘ 肥料あり　　🔲 肥料なし

結果
実験3-1

	⊕	⊘
日光	あり	なし
肥料	あり	
植物のようす	・葉はこい緑色で大きい。 ・葉の数が多い。 ・くきもこい緑色で、よくのびている。 ・全体が大きく育っている。	・黄色くなっている葉がある。 ・葉の数が少ない。 ・くきが細くて短い。くきが曲がっている。 ・全体が小さく、弱々しい。

実験3-2

	⊘	🔲
日光	あり	
肥料	あり	なし
植物のようす	・葉はこい緑色で大きい。 ・葉の数が多い。 ・くきがよくのびて太くなっている。 ・全体が大きい。	・葉はこい緑色で小さい。 ・葉の数が少ない。 ・くきが短い。 ・全体が小さい。

💬 考察　結果からいえることを話し合いましょう。

日光に当てた⊕は，日光に当てない⊘よりもよく成長し，肥料がある⊘は，肥料がない🔲よりもよく成長している。

日光も肥料も，よく成長するのに必要な条件なんだね。

かん境
🌳
インゲンマメは，花だんに植えかえて育て続ける。

!　結　論

植物に日光を当て，肥料をあたえるとじょうぶに大きく育つ。

植物の成長には，日光と肥料が関係している。

植物の成長には，発芽に必要な条件である
水，空気，適（てき）した温度も関係している。

> 植物の成長には，
> 日光，肥料，水，空気，
> 温度の5つの条件が
> 関係しているよ。

資料　りかのたまてばこ

白いネギのつくり方

ESD｜理科と仕事｜伝統

根深ネギ

インゲンマメは日光が不足すると，くきが
長くのびて葉の色がうすくなりました。
　植物のこのような性質（せいしつ）を利用して
つくられる野菜の1つが根深（ねぶか）ネギです。
成長するネギに土を寄（よ）せることを
約3回くり返すと，白い部分のとても
長いネギができます。

ネギを植える。　　　成長したネギに　　　土を寄せることを
　　　　　　　　　　土を寄せる。　　　　くり返す。

このような白いネギは，今から
約400年前の砂村（すなむら）（現在（げんざい）の東京都（とうきょう）
江東区（こうとう））でつくられたのが
始まりといわれています。
西日本で育てられていたネギを，
関東（かんとう）で育てると寒さで葉の部分が
かれてしまいました。
そのため，土にうまっている白い
部分を食べるようになって，土を
寄せるようになったと
いわれています。

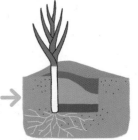
砂村一本ネギの種子

第五砂町小学校では，砂村一本ネギを
復活（ふっかつ）させる活動が行われている。　　東京都
　　　　　　　　　　　　　　　　　　　　　江東区

❶ 右の図は，インゲンマメを半分にわったものです。
インゲンマメが育ったときに，子葉になる部分と
根，くき，葉になる部分に，それぞれ色をぬりましょう。
　また，種子には，発芽するために必要な
何という養分がふくまれているでしょうか。

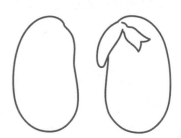

❷ 種子が発芽するためには，「水」，「空気」，「適した温度」が必要だと予想し，
実験の計画を立てました。それぞれについて調べるとき，変える条件と
変えない条件をどのようにするのか説明しましょう。
　　・発芽に水が必要かを調べるとき
　　・発芽に空気が必要かを調べるとき
　　・発芽に適した温度が必要かを調べるとき

❸ 植物の成長には，何が関係しているかを
調べるために，同じくらいに育った
インゲンマメを用意して実験をしました。
・⑦と④から，植物の成長には何が必要だと
　わかりますか。その理由も説明しましょう。
・日光が必要かを調べるために⑰と比べるのは
　⑦と④のどちらでしょうか。
　理由も説明しましょう。
・実験の2週間後のようすが①，②，⑪でした。
　それぞれ⑦，④，⑰のどの条件で育てた
　ときのものでしょうか。選んだ理由も
　説明しましょう。

肥料を
とかした水　　水　　肥料を
　　　　　　　　　　とかした水

⑦　　　④　　　⑰

①　　　②　　　⑪

学んだことを生かして，
問題にちょう戦してみましょう。

❶ 種子のふくろのうらには，右のように
「直射日光・湿気を避け，涼しい所で
保管してください。」と書かれています。
なぜこのようなことが書かれているのか
説明しましょう。

ふくろのうら

❷ よしゆきさんは，植物の発芽に水が
必要だと考えて，右の図のような実験の
準備をしました。しかし，りょうこさんが
この条件では調べられないといいました。
その理由を説明しましょう。また，
どこを直したほうがよいでしょうか。

かわいただっし綿　　　だっし綿

水

❸ みささんは，はち植えの花を，右の図のように
家の外にかざりました。どのはち植えにも
同じように水や肥料をあたえていましたが，
育ち方にちがいが出てきました。
　⑦と⑦のどちらのはち植えが
よく成長したでしょうか。そう考えた
理由も説明しましょう。

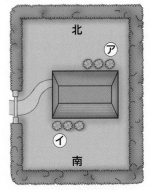

北

⑦

⑦

南

横から見た図　　　上から見た図

次の学習の準備

　アサガオの種子を1つの
はちに3つぶくらいずつまいて，
70ページからの
「植物の実や種子のでき方」の
準備をしましょう。

3 ○○○○

生命のつながり[2]

メダカのたんじょう

水そうの中で、メダカが泳いでいます。
メダカを見て、気づいたことを話し合いましょう。

たまごをつけた
メダカがいるよ。
ほかにもいるかな。

このたまごから
どのようにして
子メダカが生まれて
くるのかな。

たまごから育てて
見てみたいね。

メダカは，たまごの中で
どのように変化して
生まれてくるのか
見てみよう。

45

メダカのたまごの変化

たまごが生まれるように，メダカのおすとめすを水そうでいっしょに飼いましょう。

水温が約 25 ℃ のときに，メダカは活発に動き，えさをたくさん食べて，たまごをよく産むようになるよ。

［ メダカを飼って観察しよう ］

1 水そうの底に，水でよくあらった小石をしく。

2 くみ置きの水道水（1 日くらい置いたもの）や池の水を水そうに入れる。

3 たまごがつきやすいように，水草を入れる。

4 メダカ用のえさをあたえる。そのとき，食べ残しが出ないくらいの量にする。

5 水がにごったら，半分程度の量の水をくみ置きの水ととりかえる。

モノアラガイやタニシを水そうに入れておくと，メダカのふんや食べ残しを食べてくれる。

ハゴロモモ

オオカナダモ

モノアラガイ

タニシ

ポイント

- 1 つの水そうに，あまり多くのメダカを入れないようにする。
- 水そうは，水温が上がり過ぎないように，直しゃ日光が当たらない明るいところに置く。

かん境

観察が終わっても，自然の池や川にメダカをはなしたり，水草をすてたりしない。

水温計

― 別の飼い方 ―

ペットボトルの一部を切りとって，けがをしないようにセロハンテープを切り口にはる。

セロハンテープ

メダカの見分け方

メダカのおすとめすは，せびれやしりびれなど，体の形で見分けることができる。

おす

せびれ

しりびれ

せびれに切れこみがあり，しりびれはめすよりもはばが広い。

めす

せびれ

しりびれ

上の写真でおすとめすを見分けてみよう。おすとめすは5ひきずついるよ。

水草に産みつけられたたまご

おすがめすの
周りを泳ぐ。

体をすり合わせて,
おすが精子をかける。

めすは,産んだたまごを
水草につける。

　めすがたまご(卵ともいう)を産み,
おすが**精子**(せいし)を出します。
たまごと精子が結びつくと,
たまごの中で変化が始まります。
　たまごと精子が結びつくことを**受精**(じゅせい)といい,
受精したたまごのことを**受精卵**(じゅせいらん)といいます。

? 問題　メダカのたまごは,どのように変化して,
子メダカになるのだろうか。

予想　こん虫や植物を育てたときの経験(けいけん)から,
予想しましょう。

モンシロチョウの
たまごは,数日で
よう虫(ちゅう)がかえったね。

メダカも数日で
出てくるかな。

たまごは,この後
だんだん大きくなって
いくと思うよ。

計画

メダカのたまごの変化のようすは,
どのように調べればよいでしょうか。

1日に1回観察すれば,
変化のようすを
見られるんじゃないかな。

たまごはとうめいだから,
中を観察できそうだね。
小さいから,虫めがねを
使ったほうがいいかな。

毎日同じ時こくに
観察しよう。

そう眼実体けんび鏡

解ぼうけんび鏡

そう眼実体けんび鏡や
解ぼうけんび鏡を使うと,
小さいたまごの中の
ようすがよく見えるよ。

→ そう眼実体けんび鏡と
解ぼうけんび鏡の
使い方は,179ページ。

観察

メダカのたまごの中のようすを
変化したところを比べながら調べる。

① たまごのついた水草を切りとって,
水の入ったペトリ皿に入れる。

② そう眼実体けんび鏡を使って,
たまごの色,形,大きさなどを観察する。

③ 1,2日おきに観察する。

注意

解ぼうけんび鏡を使う場合は,
目をいためるので,
直しゃ日光の当たらない
明るいところに置いて使う。

ポイント

ペトリ皿は,かわいたり
ごみが入ったりしないように,
ふたをして直しゃ日光の
当たらないところに置く。

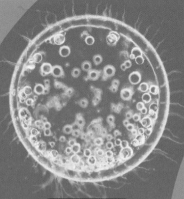

受精直後

あわのようなものが
全体に散らばっている。

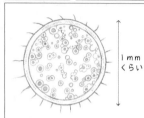

メダカ たまごの変化①	6月21日午前10時 くもり 気温 22 ℃

1 mm
くらい

水温は 20 ℃。たまごの色は
すき通っていて, 丸い形をしていた。
たまごの長さは 1 mm くらいで, 中に
あわのつぶのようなものがあった。
まわりに毛のようなものが生えていた。

| 名前 | 内田 健司 |

● 実際の大きさ
　（約 1 mm）

📖 **結 果**

メダカは，時間がたつにつれて，
たまごの中で大人のメダカに
似た形に変化していく。

受精後 **5 時間**

上のほうから
変化が始まってくる。

別の方向から
見たところ

受精後 **2 日目**

体のもとになる
ものが見えてくる。

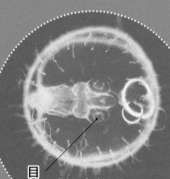

目

別の方向から
見たところ

受精後 **3 日目**

頭が大きくなって，
目がはっきりしてくる。

メダカ　たまごの変化②
6月24日午前10時　晴れ　気温24℃

黒い目のような部分

水温は21℃。前回観察したとき より あわのつぶが大きくなり，1つになって いた。黒い目のような部分や，ずっと 動いている部分もできていた。 動いている部分は，心ぞうだと思う。

名前　内田　健司

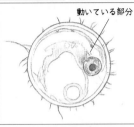

メダカ　たまごの変化③
6月26日午前10時　晴れ　気温23℃

動いている部分

水温は20℃。前回観察したときより 体が大人のメダカと同じような形に なってきた。目は大きくなり，心ぞうは 動きがよくわかるようになってきた。 赤い血のような色の部分もあった。

名前　内田　健司

受精後　**11日目**
たまごのまくを破って 出てくる。

受精後　**8日目**
体が時々くるりと動く。

別の方向から 見たところ

別の方向から 見たところ

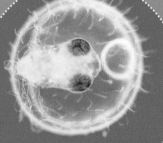

心ぞう

受精後　**6日目**
心ぞうや血液の流れが よくわかる。

受精後　**4日目**
心ぞうが動き，血液（けつえき）の流れが 見られるようになる。

日数はだいたいの 目安だよ。

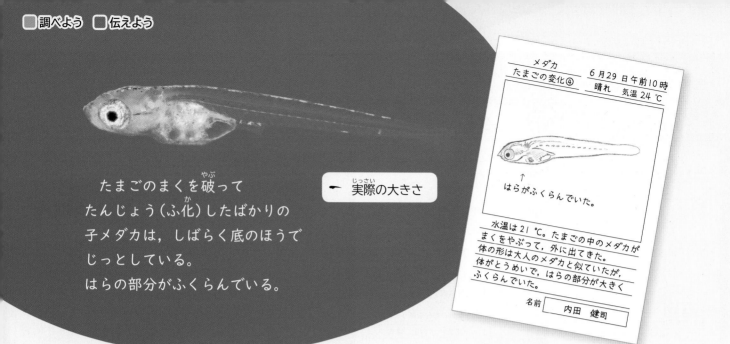

たまごのまくを破（やぶ）って
たんじょう（ふ化）したばかりの
子メダカは，しばらく底のほうで
じっとしている。
はらの部分がふくらんでいる。

← 実際（じっさい）の大きさ

メダカ
たまごの変化④　　6月29日午前10時
　　　　　　　　　　晴れ　気温24℃

↑
はらがふくらんでいた。

水温は21℃。たまごの中のメダカが
まくをやぶって，外に出てきた。
体の形は大人のメダカと似ていたが，
体がとうめいで，はらの部分が大きく
ふくらんでいた。

名前　　内田　健司

考察　結果からいえることを話し合いましょう。

予想とちがって，たまごの
大きさは変わらなかった。
たまごの中で，体の部分が
少しずつできていたね。

10日くらいで
大人と同じような形に
変化して，生まれたね。
予想より少しおそかった。

はらのふくらみに
入っているのは
養分かな。
種子と同じしくみだね。

! 結論

メダカは，たまごの中で少しずつ変化して，親と似たすがたになり，

やがてたまごのまくを破ってたんじょう（**ふ化**）する。

動物のたまごが
かえることを
ふ化というよ。

　ふ化する前のメダカは，たまごの中の養分で
成長している。また，ふ化したばかりの子メダカは，
しばらくの間，ふくらんだはらの中にある養分を使って育つ。

日本のメダカ

英語
ABC

日本のメダカは，英語でジャパニーズ ライス フィッシュ
(Japanese rice fish)といいます。「ジャパニーズ」は「日本の」，
「ライス」は「イネ」，「フィッシュ」は「魚」という意味です。
　英語の名前にあるように，日本のメダカは昔から田んぼや
流れのゆるやかな小川などにいます。
　右の写真の黒っぽい色をしたメダカが日本のメダカです。
これまで観察してきた「ヒメダカ」といわれる赤みをおびた
メダカとは別の種類です。

日本のメダカ

ヒメダカ

Science
WORLD
サイエンスワールド

地いきのメダカを守ろう

6年で学ぶこと　はってん

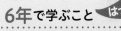

ESD　かん境　伝統

　昔から日本にいるメダカは，水がよごれたり，流れのゆるやかな
小川が少なくなったりなど，生活する場所のようすが大きく変化
したため，数が減っています。そこで，各地で地いき固有の
メダカを保護する活動が行われています。群馬県 前橋市では，
前橋市に昔からすんでいる「前橋メダカ」を育てて放流しています。

メダカのことを学ぶと，
メダカの生活する場所の
ようすがよくわかります。
メダカのすむ場所を整える
ことは，地いきの自然を
保護することにも
つながります。みんなで
メダカのすむ場所を
守っていきましょう。

前橋メダカ

「野メダカを
育てる会」の
松井和夫さん

前橋市児童文化センターの池では，
メダカのすむ場所を整えて
メダカを育てている。

小学校6年「生物とかん境」で学ぶ内容です。

❶ メダカのおすとめすは，
体のようすにちがいがあります。
⑦と⑦のどちらがおすで，
どちらがめすでしょうか。
また，そう考えた理由を「ひれ」という
言葉を使って説明しましょう。

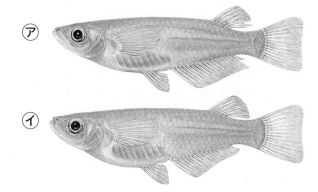
⑦

⑦

❷ （　　）の中に当てはまる言葉を入れましょう。

　　メダカは，めすがたまごを産み，おすが（　　　）を
出します。これらが結びつくと，たまごの中で変化が始まります。
これらが結びつくことを（　　　）といい，結びついたたまごを
（　　　）といいます。

❸ メダカが，たまごからふ化するまでの順に⑦から工をならべましょう。

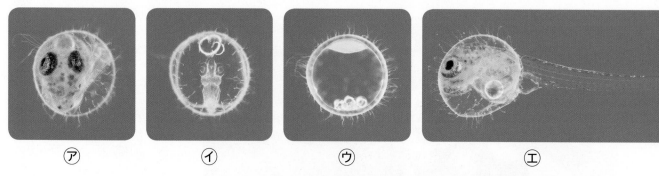

⑦　　　　　　　⑦　　　　　　　⑦　　　　　　　工

❹ ふ化したばかりのメダカは，
はらがふくらんでいます。
その理由を説明しましょう。

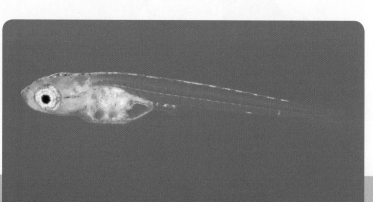

学んだことを生かして，
問題にちょう戦してみましょう。

❶ たけしさんは，右の図のように
して，メダカを飼い始めました。
たけしさんの飼い方について，
直したほうがよいところが
3つあります。それは
どこでしょうか。

❷ れいこさんは，友達からメダカを8ひき
もらい，水そうで飼い始めました。
1週間たちましたが，メダカはたまごを
産みません。なぜたまごを産まないのか，
原因として考えられることを
説明しましょう。

資料
りかの
たまてばこ

メダカの形がちがうわけ

ESD　かん境

メダカのめすがたまごを産むとき，おすは，
せびれとしりびれを使ってめすを自分の体に
引きよせます。
　そのため，おすのせびれには切れこみがあり，
しりびれはめすより大きくなっています。

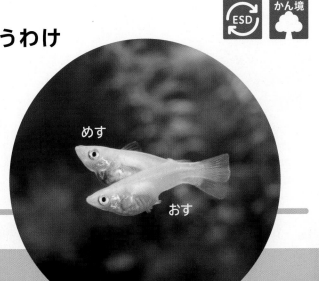

めす

おす

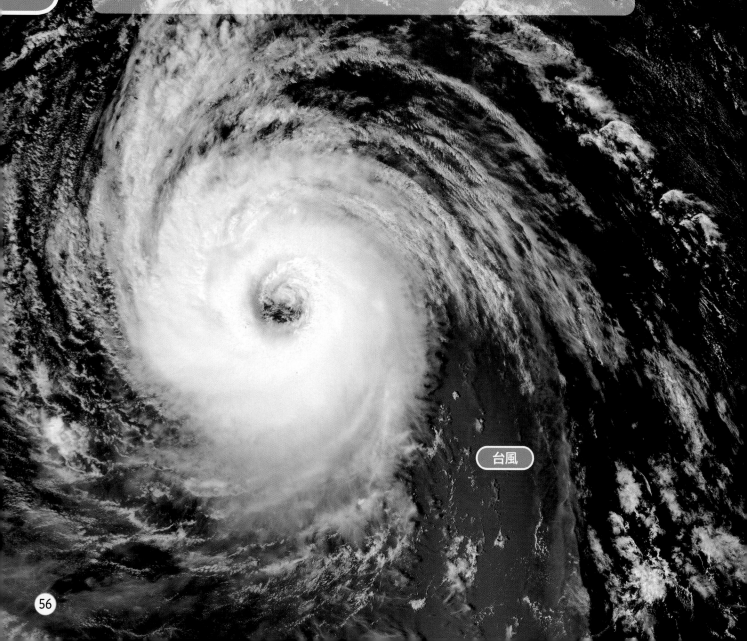

4 ●○○○

天気と情報[2] 台風と防災

夏から秋にかけて，台風が日本に近づいたり，
上陸したりすることがあります。
台風が近づいてきたときに何が起こるかを話し合いましょう。

台風

高知県 安芸市

台風8号は，間もなく九州地方に上陸するもようです。

台風8号
（9日7時 推定）
北緯 29°35′
東経 126°10′
気圧 960hPa
風速 35m/s
北 20km/h

強風
暴風
鹿児島
那覇

沖縄県 石垣市

海は波が高くなっているね。

風で木が大きくゆれたり，たおれているよ。

台風と天気の変化についてくわしく見てみよう。

台風の接近と天気

 **問題** 　台風が近づくと，天気はどのように変わるのだろうか。

 **予想** 　経験したことや学んだことから予想しましょう。

> 春のころ，天気は西から東に変化したから，台風も同じように…

> 台風が近づくとかさが使えなかった。それは，雨や風が強くなったからだと思う。

計画 　どのように調べればよいでしょうか。

> 春のころと同じように雲画像やアメダスの情報から雨や風の強さがわかるのかな。

> これからの台風の動きは，テレビや新聞などに情報があったよ。

> 数日間，気象情報を集めて比べるといいね。

台風が近づいたときの気象情報

● 進路予想の見方

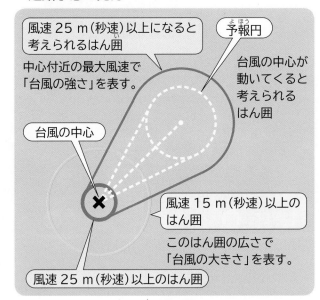

風速 25 m（秒速）以上になると考えられるはん囲

中心付近の最大風速で「台風の強さ」を表す。

予報円

台風の中心が動いてくると考えられるはん囲

台風の中心

風速 15 m（秒速）以上のはん囲

このはん囲の広さで「台風の大きさ」を表す。

風速 25 m（秒速）以上のはん囲

● 風向・風速

インターネットを用いて集められる気象情報には風向や風速のデータも入っている。

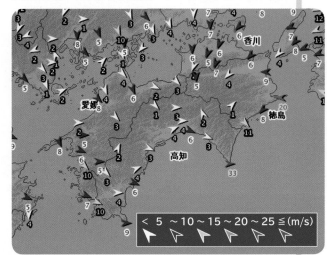

調べる

台風が近づいたときの気象情報と天気の変化の関係を調べる。

① インターネットやテレビなどで台風がどのように近づくか，3，4日分の気象情報を集める。

② 台風が近づいたときの天気の変化を調べる。

注意

台風が近づいたときは，きけんなので，外に出てはいけない。

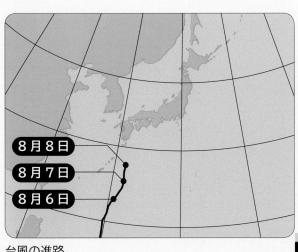

8月8日
8月7日
8月6日

台風の進路

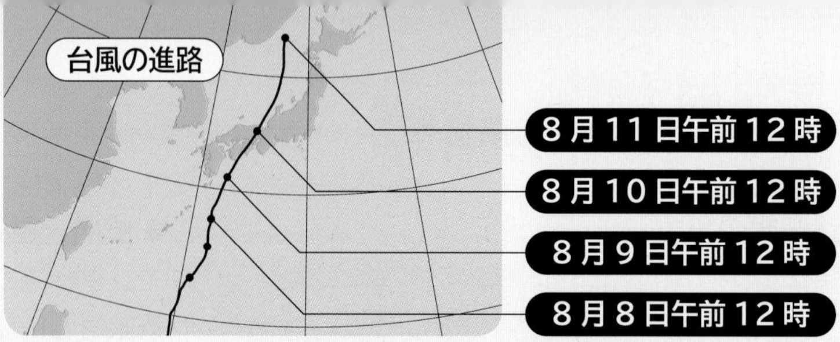

結 果

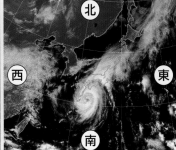

台風の進路

8月11日午前12時
8月10日午前12時
8月9日午前12時
8月8日午前12時

午前12時の雲画像（くもがぞう）

| 8月8日 | 8月9日 | 8月10日 | 8月11日 |

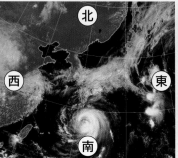
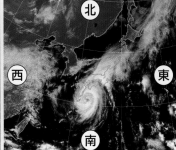
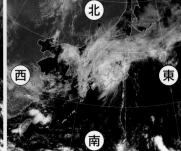

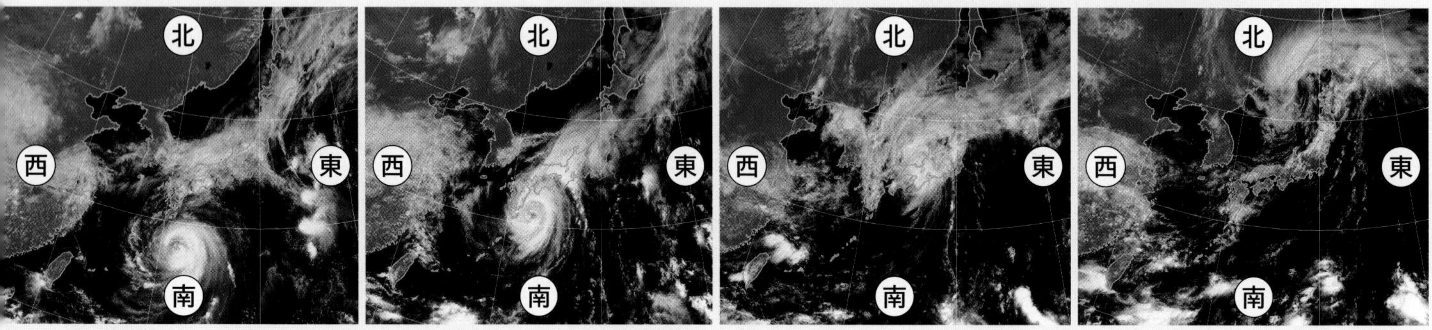

午前11時〜12時の雨量

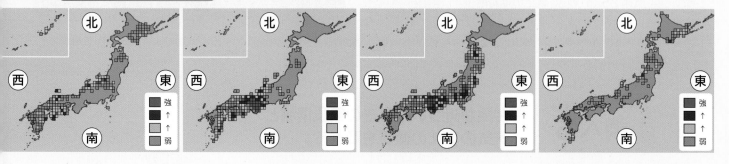

強
↑
↑
弱

結 論

台風が近づくと多くの雨がふったり，風が強く
なったりする。

台風が過ぎ去ると，雨や風はおさまり，
おだやかに晴れることが多い。

2014年の主な台風の進路
[　]内の数字は台風の発生した
月を表す。

20号[10]
8号[7]
10号[7]
14号[9]
22号[12]
18号[9]

台風は日本の南の海の上で発生し，はじめ西へ進み，
しだいに北や東のほうへ動くことが多い。

台風のひ害について調べよう！

台風の強い風や多くの雨などによって，
ひ害が出ることがあります。

過去の資料や
地いきの人に話を
聞いて調べよう。

［風］

強い風によって
たおされた木

2012年　台風17号
大阪府 大阪市

強い風によって
折れた電柱など

2009年　台風18号
茨城県 土浦市

［雨］

大雨などによって
起こった土砂くずれ
2011年　台風12号
奈良県 五條市

大雨によって川がはんらんして，
こう水が起こったようす

2011年　台風15号　愛知県 名古屋市

台風とわたしたちの生活

ふだんから
ひなんのしかたを
確にんしておこう。

● 台風に対する備え

台風の災害からどのように身を守ればよいのでしょうか。

気象ちょうでは，台風の大雨などによるひ害をできるだけ出さないよう，注意報やけい報，特別けい報などの情報を発表しています。また，気象情報をもとに，自治体がひなん情報を発表しています。

[大雨の気象情報とひなん情報]

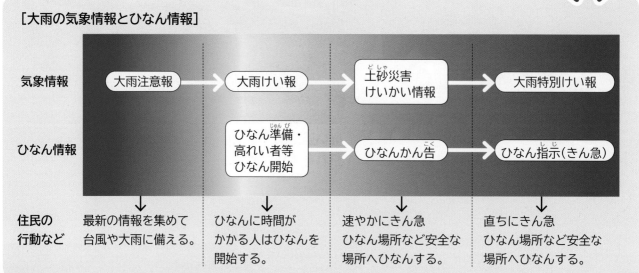

気象情報	大雨注意報	大雨けい報	土砂災害けいかい情報	大雨特別けい報
ひなん情報		ひなん準備・高れい者等ひなん開始	ひなんかん告	ひなん指示（きん急）
住民の行動など	最新の情報を集めて台風や大雨に備える。	ひなんに時間がかかる人はひなんを開始する。	速やかにきん急ひなん場所など安全な場所へひなんする。	直ちにきん急ひなん場所など安全な場所へひなんする。

右の図は，タイムラインという防災に関係する人々に向けての行動計画の流れを示しています。台風の接近に合わせて国をはじめ，交通機関や自治体，住民の間で，ひ害にあわないために，いつ，どのように行動したらよいか，決めています。

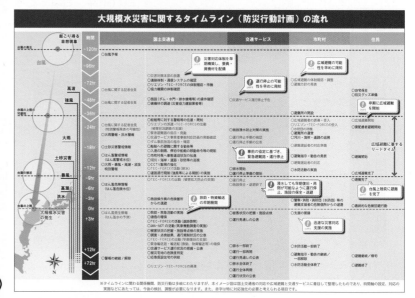

タイムライン（防災行動計画）

● 台風に備えるくふうや暴風雨体験

　台風が多くくる地方では，ひ害をできるだけ
受けないようにくふうをしています。また，
防災センターでは，右の写真のようなそうちで
台風と同じ強さの雨や風を体験できるところも
あります。

沖縄地方の古い家
強い風にたえられるように
家の周りを石がきで囲み，
屋根がわらは飛ばないように
しっかり留めている。

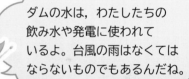

神奈川県総合防災センター
神奈川県 厚木市

● 台風のめぐみ

　台風による多くの雨は，わたしたちの生活に
なくてはならないきちょうな水資げんにもなります。

ダムの水は，わたしたちの
飲み水や発電に使われて
いるよ。台風の雨はなくては
ならないものでもあるんだね。

**ふった雨を
たくわえるダム**　早明浦ダム
　　　　　　　　高知県

2005年には，ダムの水がほと
んどなくなり，水不足となった。
しかし，台風14号による雨で
ダムの水はいっぱいになった。

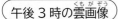

確かめよう ▶ 台風と防災について，学んだことを
確かめましょう。

❶ 台風はどのように動くのでしょうか。説明しましょう。

❷ 台風が近づくと，天気はどのように変わるのでしょうか。説明しましょう。

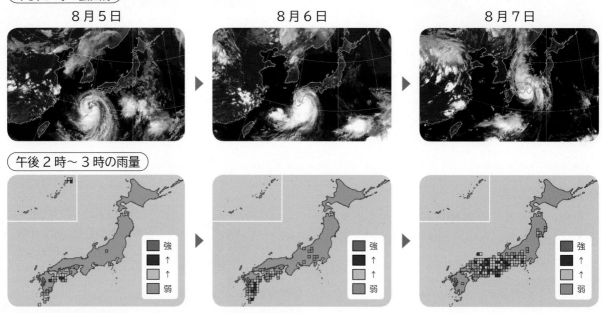

午後3時の雲画像

| 8月5日 | 8月6日 | 8月7日 |

午後2時～3時の雨量

**学んだことを
生かそう** ▶ 学んだことを生かして，
問題にちょう戦してみましょう。

❶ 台風が自分の住む地いきに
近づいてきています。
家のことや家の周りのことで，
台風に備えるために
どのようなことをすればよいでしょうか。
自分の考えを説明しましょう。

台風と台風の進路予想

台風のことを英語でタイフーン（typhoon）といいます。似ていますね。これは，タイフーンを日本語で表現するときに，「台風」という字を当てたためです。それまで日本では野分といわれていました。1900年ごろに岡田武松という科学者によって台風と名づけられました。

台風は，積乱雲が集まってできたもので，強い風と大雨をもたらします。

台風の中心に近いところほど多くの雨がふり，風が強くなっています。しかし，「台風の目」とよばれる中心には雲はほとんどなく，そのため雨はあまりふらず，風も弱くなっています。

台風は，時計のはりの回る向きと，反対（左まき）に回転しながら進みます。風の強さは進む方向の右側と左側でちがい，右側では特に強い風がふきます。

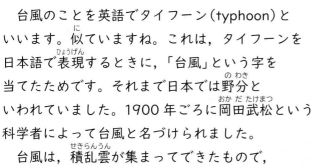

台風の進む方向

ふきこむ風の方向

とても強い風

台風の目

気象衛星による台風の雲画像

● 台風の進路予想

台風の進路予想は，気象衛星やアメダスなどから観測して送られるデータと，世界からの気象観測データをもとに，スーパーコンピュータで計算して行っています。

防災の情報として，これまで以上に正確な台風の進路予想が求められています。

そこで，コンピュータの計算する能力を高めたり，台風内部の積乱雲などの構造が変わるようすをくわしく調べたりする技術の開発が進められています。

スーパーコンピュータ

スーパーコンピュータによる解せき結果をもとに話し合い，台風の進路予想を決める。

自由研究

くわしく調べてみたいと思ったことや不思議に思ったことなど，自分で調べることを決めて，研究してみよう。

テーマの見つけ方

- 生活の中でぎ問に思ったことや興味のあることから……

- 3年や4年，5年で学習したことの中で，もっと調べてみたいことから……

- 自分たちの住む地いきの自然の中から……

進め方

1. テーマを決める。
2. 計画を立てる。
3. 準備をする。
4. 調べたり，作ったりする。
5. まとめる。
6. 発表する。

1 テーマを決めよう

● 天気のいい習わし

天気のいい習わしには，どのようなものがあるか調べ，本当にそうなるか調べる。

朝のにじは，雨

東京都 台東区

● 台風のひ害を防ぐくふう

台風のひ害を防ぐくふうについて調べる。

千葉県 夷隅郡

● 種子のデンプン

いろいろな種子を集め，デンプンがあるかどうか調べる。

● 種子の発芽

インゲンマメ以外の植物も，インゲンマメと同じ条件で発芽するかどうか調べる。

● 雲の図かん作り

雲の写真をとり，ファイルにまとめて図かんを作る。

静岡県 焼津市

● 魚のたまごの変化

メダカ以外の魚を育て，たまごの変化を観察する。

ゼブラフィッシュ

❷ 計画を立てよう

テーマを決めたら，調べ方や作り方を計画しよう。

［ 調べるとき ］

❶ 学習したことなどをもとに，予想する。

❷ 予想を確かめるための調べ方を考える。
- 条件を整えて
- いろいろな方法で

❸ 準備するものを考える。

❹ 調べていく予定を立てる。

❺ 調べるときに気をつけることを考える。
- 器具の使い方
- 記録しておくこと
  ・月日，時こく，天気，気温など
  ・観察や実験したことと，その結果
  ・自分で思ったことや考えたこと
- きけんなことやきけんな場所

［ 作るとき ］

❶ でき上がりを想像して絵に表す。

❷ 作り方を考える。
- 学習したことをどう生かしていくか。
- どのように作っていくか。

❸ 準備するものを考える。
- どのような材料や道具が必要か。

❹ 作るときに気をつけることを考える。
- くふうが必要なところ
- けがなどに注意が必要なところ

計画ができたら，先生や家の人に見てもらおう。

自由研究の計画　　　　本田 ひろみ

テーマ　天気のいい習わし

1 研究の動機
　天気のいい習わしには，いろいろなものがあることがわかったので，天気がそのとおりになるのか確かめてみたいと思った。

2 調べ方
①天気のいい習わしを本で調べたり，地いきに伝わるいい習わしを家族に聞いたりして調べる。
②天気のいい習わしのようなときに，とおりに天気が変化するか調べる。

3 準備するもの
　デジタルカメラ，記録用紙

自由研究の計画　　　　小川 まこと

テーマ　雲の図かん作り

1 作る動機
　雲には，いろいろな種類があることがわかったので，雲の写真をとって，図かんのようにまとめたいと思った。

2 調べ方
　いろいろな雲の写真をとり，雲の種類を調べる。写真をプリントして，雲の種類を書いて，ファイルにまとめる。

3 準備するもの
　雲のことがわかる本，デジタルカメラ，ファイルホルダー

❸ 準備をしよう

計画ができたら，必要な材料や資料，道具などを準備しよう。

東京都 青梅市

❹ 調べたり，作ったりしよう

計画にしたがって，観察や実験をしたり，作ったりしよう。

● 観察や実験の結果や気づいたこと
  などは，ノートに記録しておこう。

● 予想のようにならなかった
  実験の結果も全て記録して，
  なぜそうなったのかを考えよう。

● うまく作れなかったときは，
  どこがよくなかったのか考えて，
  もう一度作ってみよう。

● わからないことがあったら，
  図書館や科学館，博物館，
  コンピュータなどで調べよう。

朝のきりは，晴れ

長崎県 長崎市

「朝のきりは，晴れ」
7月4日　朝，きりが出ていた。

7月4日　昼ごろには晴れた。
いい習わしのとおりになった。

「朝のにじは，雨」
7月15日　朝焼けになり，にじが
出ていた。

7月15日　くもりのち雨
いい習わしのとおりになった。

福岡県青少年科学館

福岡県 久留米市

千葉県立中央博物館

千葉県 千葉市

多摩六都科学館　　東京都 西東京市

［コンピュータで調べるときの注意］

・コンピュータで調べるときは，先生や家の人に
　使い方を聞いて，気をつけることを守る。
・インターネットを使って調べるときは，
　特にルールやマナーを守るように気をつける。
・くわしいことは，**173** ページを見よう。

5 まとめよう　研究したことをわかりやすくまとめよう。

研究したいと思った理由を書こう。

どのような結果になるか予想を書こう。

研究の方法を順序がわかるように書こう。

写真や絵，表などを使い，わかりやすくしよう。

天気のいい習わし

5年1組 本田ひろみ

1 研究の動機
　理科の時間に，昔の人々は天気のいい習わしで天気を予想していたことや，住んでいる地いきに伝わる天気のいい習わしがあることを知った。そこで，いい習わしのとおりに天気が変わるかどうか調べたいと思った。

2 予想
　いい習わしのとおりになりやすいものもあれば，あまりそうならないものもある。

3 研究の方法
①天気のいい習わしについて調べる。
②天気のいい習わしのようになったら，そのときの天気のようすを調べて，記録する。

4 結果
「朝のきりは，晴れ」
7月4日　朝，きりが出ていた。
　　　　昼ごろから晴れた。
7月20日　朝，きりが出ていた。
　　　　　午前10時ごろから晴れた。

研究してわかったことや気づいたことを書こう。

5 わかったこと
　おじいさんがいっていた天気のいい習わしについては，ほとんどそのとおりになった。しかし，ほかで調べた「ネコが顔をあらうと雨」のように，そのとおりになるのかならないのか，わからないものもあった。

研究して思ったことや次に調べてみたいことを書こう。

6 感想
　なぜ，天気のいい習わしどおりになるのかを調べてみたいと思った。

[まとめの例]

❶ ノートやスケッチブックにまとめる。

❷ 大きな紙（もぞう紙）にまとめる。

❸ コンピュータを利用してまとめる。

6 発表しよう

研究した内容を順序よく，わかりやすく話そう。
ほかの人の発表をよく聞いて，
ぎ問に思うことは質問しよう。

5

生命のつながり［3］
植物の実や種子のでき方

これまで育ててきた植物は，成長して花がさき，その後に実ができました。アサガオの花と実について，気づいたことを話し合いましょう。

（1）

3年で学んだこと

植物は，種子が発芽して成長し，花がさいた後に実ができる。

（　　）

インゲンマメ

インゲンマメを育て続けたら，花と同じところに実ができたよ。

70

花がさいてから，実や種子に
なるまでの順を考えて，（　）に
番号を書き入れてみましょう。

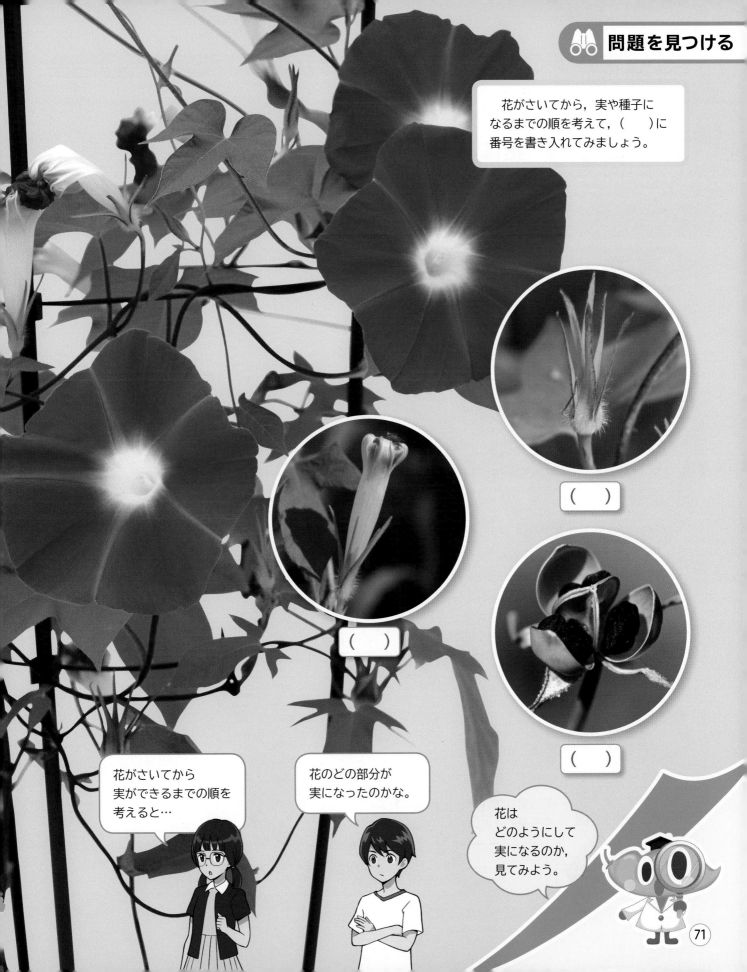

（　　）

（　　）

（　　）

花がさいてから
実ができるまでの順を
考えると…

花のどの部分が
実になったのかな。

花は
どのようにして
実になるのか，
見てみよう。

1 花のつくり

? 問題　花は，どのような
つくりになっているのだろうか。

予想　これまでに育てたいろいろな植物の花から，
予想しましょう。

オクラ　　　アサガオ　　　ホウセンカ

花の中心に
いろいろ細かい
部分があったよ。

花の形はちがうけど，
どの花も同じ部分から
できているのかな。

計画　どのように調べればよいでしょうか。

花を切り開いて
中を見てみよう。

各部分の名前は，
図かんなどで
調べられるね。

アサガオの花で
調べてみよう。

観察 1

花のつくりをほかの花と比べながら調べる。

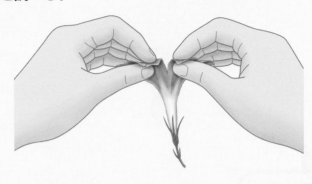

1 花の全体のようすを調べる。

2 花を手で切り開いて，花のつくりを調べる。

> **ポイント** 各部分の数や
> どのような形をしているか
> 先がどのようなようすを
> しているかなどに
> 注目して調べる。

3 各部分の名前を
本やコンピュータなどで調べる。

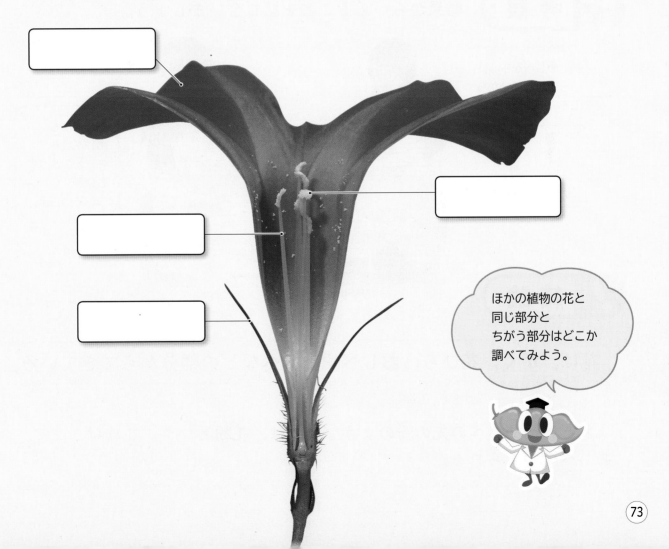

ほかの植物の花と
同じ部分と
ちがう部分はどこか
調べてみよう。

📖 結 果

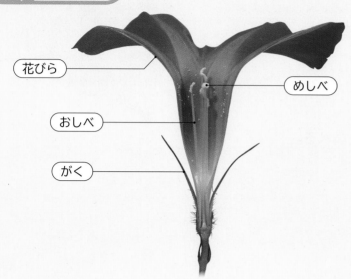

- 花びら
- めしべ
- おしべ
- がく

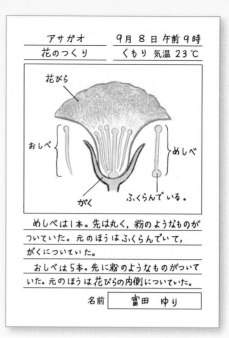

アサガオ	9月8日 午前9時
花のつくり	くもり 気温 23℃

- 花びら
- おしべ
- めしべ
- がく
- ふくらんでいる。

めしべは1本。先は丸く，粉のようなものが
ついていた。元のほうはふくらんでいて，
がくについていた。

おしべは5本。先に粉のようなものがついて
いた。元のほうは花びらの内側についていた。

名前　富田　ゆり

💬 考 察　結果からいえることを話し合いましょう。

花はめしべを中心に，
いろいろな部分から
できていたね。

おしべにも
めしべにも，
先に粉のような
ものが
ついていたよ。

❗ 結 論

花は，がく，花びら，おしべやめしべなどの部分からできている。

　おしべやめしべの先の粉のようなものは，**花粉**という。花粉は
おしべでつくられる。

いろいろな植物の花のつくり

1つの花でも
別々の花でも,
おしべとめしべが
あるんだね。

アサガオと同じように,オクラやナスなども,1つの花に,がく,花びら,おしべやめしべがあります。

一方,ツルレイシやヘチマなどのように,おしべとめしべがそれぞれ別の花についているものがあります。おしべだけの花をおばな,めしべだけの花をめばなといいます。

● 1つの花におしべとめしべがある植物

オクラ
花びら
めしべ
おしべ
がく

ナス
花びら
がく
おしべ
めしべ

● 別々の花におしべとめしべがある植物

花びら
がく
おしべ

ツルレイシ

花びら
がく
めしべ

おばな
めばな

２ 受粉の役わり

けんび鏡を使って,
花粉を観察して
みよう。

🔭 問題を見つける

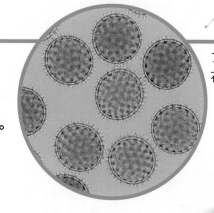

アサガオの
花粉（100倍）

［ 花粉のようすを調べよう ］

① アサガオのおしべをピンセットで外す。

② スライドガラスの上におしべの花粉を
落として, けんび鏡で観察する。

ピンセット

スライドガラス

けんび鏡

注意

目をいためるので,
直しゃ日光の当たらない
明るいところに置いて使う。

 けんび鏡の
使い方は,
180ページ。

アサガオ	９月11日午前９時
花粉	晴れ　気温26℃

花粉は, 丸い形をしていて, とげの
ようなものがたくさんついていた。
花粉はこのとげで, めしべの先につく
ことができるんだと思う。

名前　　富田 ゆり

花粉の表面はとげとげした
つくりになっていたね。

このとげとげで,
めしべの先につくのかな。
めしべについたのは
いつなんだろう。

 **問題** 花粉は，いつおしべからめしべに
つくのだろうか。

計画 どのように調べればよいでしょうか。

> アサガオの花が
> 開いたときは，
> もうめしべの先に
> 花粉がついていたよ。

> 花が開く前の
> おしべとめしべを
> 見てみよう。

観察2 花が開く前と後のおしべとめしべを比べながら調べる。

① つぼみをさき，おしべとめしべのそれぞれの先を観察する。

次の日に花が開くくらいに
ふくらんだつぼみを選ぶ。

つぼみを上から指でさく。

② 開いている花のおしべとめしべの
それぞれの先を観察する。

注意
目をいためるので，
虫めがねで太陽を
見てはいけない。

 虫めがねの
使い方は，
178ページ。

 ポイント はちをゆかなどに
置いていすにすわり，
落ち着いて作業をする。

📖 **結 果**　花が開く前は，おしべの先から花粉（かふん）は出ていない。
花が開いた後には，おしべの先から花粉が出て，
めしべの先についている。

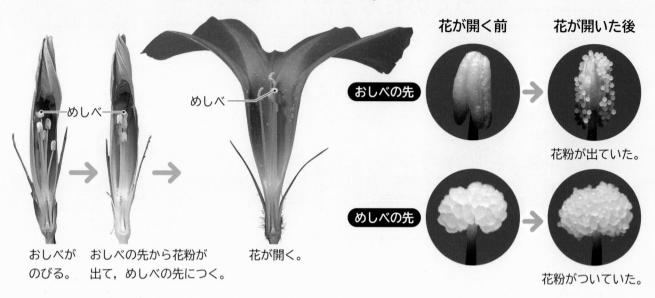

花が開く前　　花が開いた後

おしべの先

花粉が出ていた。

めしべの先

花粉がついていた。

めしべ

めしべ

おしべが
のびる。

おしべの先から花粉が
出て，めしべの先につく。

花が開く。

💬 **考 察**　結果からいえることを話し合いましょう。

花が開いたときは，
もう花粉はめしべの先に
ついているんだね。

おしべは，花が開く
直前に，急にのびて，
花粉を出すんだね。

❗ **結 論**

めしべの先に花粉がつくことを**受粉**（じゅふん）という。

アサガオは，花が開く直前に受粉する。

おしべの花粉が風やこん虫などに
よって運ばれて受粉する植物もある。

ツルレイシの
おばなにきた
シジミチョウ

？ 問題 受粉すると，
花にはどのような変化が起こるのだろうか。

予想 これまで学習したことや経験したことから
予想しましょう。

> これまでに育てた植物は，
> 花が開いた後に，実が
> できていたね。受粉したから，
> 実ができたんじゃないかな。

> 受粉は，メダカの受精と
> 似ているね。メダカがたまごで
> 生まれるように，植物には
> 実ができるんだと思う。

計画 受粉すると実ができることを
どのように調べればよいでしょうか。

> 実ができるには受粉が
> 必要か調べたいから，
> 変える条件は，花粉を
> つけるかつけないかだね。

> 2つの花の一方だけを
> 受粉させて，もう一方は
> 受粉させないように
> するといいね。

> つぼみのうちに
> おしべをとって，
> 自然に受粉しない
> ようにしよう。

> アサガオの花が開く前に，
> 受粉しないようにするには
> どうすればいいのかな。

実 験

受粉させた花と受粉させなかった
花の変化を，条件を整えて調べる。

① つぼみのときに，ピンセットで
おしべをとり，ふくろをかける。

1日目

受粉
させる。

受粉
させない。

ポイント

● ほかの花の花粉で
受粉しないように，
花にふくろをかける。

● ふくろをしばる
モールの色を変えて
区別する。

─ 別の方法 ─

受粉させる。

めばなに
ふくろをかける。

受粉させない。

めばなに
ふくろをかける。

おしべとめしべが
別々の花についている
ツルレイシで調べても
いいよ。

② 花が開いたら，一方に受粉させて，もう一方はそのままにしておく。

③ ふくろをとり，約1週間後に実ができたか調べる。

| 2日目 |
| 花がしぼんだ後 |

ほかの
アサガオの
おしべ

ほかのアサガオの花粉で受粉させた後，またふくろをかける。

おばなからとった花粉をめしべの先につけて，またふくろをかける。

花粉がついためしべ

📖 結果

受粉させた。

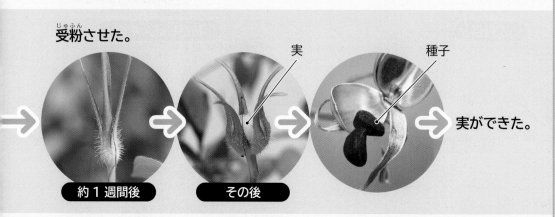

実　種子

実ができた。

約1週間後　その後

受粉させた。

実が
できた。

受粉させなかった。

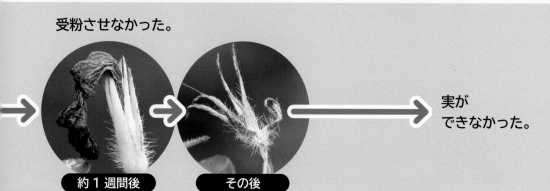

実が
できなかった。

約1週間後　その後

受粉させなかった。

実が
できなかった。

💬 考察

結果からいえることを
話し合いましょう。

受粉すると，
めしべの
元のところが
実になるんだね。

実の中に種子が
できている。
受粉は，メダカの受精と
同じようなことなんだね。

❗ 結論

植物は，受粉するとめしべの元がふくらんで，実ができる。

実の中には種子がある。

植物の受粉のしかた

● 植物のさまざまな受粉のしかた

　アサガオは，花が開く直前に，同じ花の中で受粉します。しかし，おしべの花粉（かふん）が風やこん虫，鳥などによって，ほかの花に運ばれて受粉する植物もあります。

主に鳥によって
花粉が運ばれて受粉する植物

サザンカ

風によって
花粉が運ばれて受粉する植物

イネ

花粉100倍

主にこん虫によって
花粉が運ばれて受粉する植物

セイタカアワダチソウ

花粉100倍

花粉100倍

● 農業への利用

　植物の花粉をこん虫が運ぶことを，農業に利用することがあります。イチゴの温室さいばいでは，温室にミツバチの巣箱を置いて，ミツバチをはなします。ミツバチは，花からみつと花粉を集めます。このとき，ミツバチによって運ばれた花粉がめしべについて，受粉します。

植物の実や種子のでき方について、
学んだことを確かめましょう。

❶ アサガオの花の⑦〜⑤の部分を
何とよびますか。

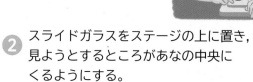

❷ ツルレイシの花には、おばなと
めばながあります。右の㋭と㋕の
どちらがめばなでしょうか。
そう考えた理由も説明しましょう。

❸ 右の㋖〜㋚に当てはまる言葉を、
けんび鏡の各部分の名前から
選びましょう。そして、けんび鏡を
使って観察するときの
手順を説明しましょう。

各部分の名前

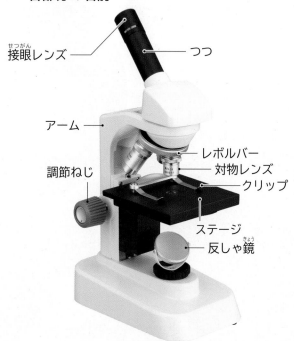

せつがん
接眼レンズ ── つつ

アーム ──

調節ねじ ── レボルバー
── 対物レンズ
── クリップ

ステージ ── 反しゃ鏡
きょう

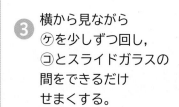

① ㋖を一番低い倍率にする。
ばいりつ
接眼レンズを
のぞきながら、㋗の
向きを変えて、明るく
見えるようにする。

② スライドガラスをステージの上に置き、
見ようとするところがあなの中央に
くるようにする。

③ 横から見ながら
㋘を少しずつ回し、
㋙とスライドガラスの
間をできるだけ
せまくする。

④ 接眼レンズをのぞきながら
調節ねじを回し、㋚と
スライドガラスの間を
少しずつ広げて、
ピントを合わせる。

学んだことを生かして，
問題にちょう戦してみましょう。

❶ スイカの温室さいばいでは，温室に
ミツバチをはなしている農家がいます。
なぜミツバチをはなしているのでしょうか。
「花粉_{かふん}」，「めしべ」，「受粉_{じゅふん}」という言葉を
使って説明しましょう。

千葉県 富里市_{ちば とみさと}

❷ 右の写真は，ヒマワリとコスモスの
花粉を電子けんび鏡というけんび鏡で
見たときの写真です。この２つの
花粉の，形の似_にているところは
どこでしょうか。また，なぜ
そのような形をしているか，
考えたことを説明しましょう。

ヒマワリの花粉　　　コスモスの花粉
（写真には色をつけてある。）

実と種子

植物は実の中に種子があります。
４年まで使ってきた「たね」という
言葉には，実を表す場合と種子を
表す場合があります。
例えば，ヒマワリやイネなどで
「たね」とよばれる部分は，
種子ではなく，実なのです。

ヒマワリの実

イネの実

6

流れる水の
はたらきと
土地の変化

　ふだんの川はおだやかに流れていますが，大雨がふった後，
川の流れやその周りの土地のようすが変化します。
写真を見て気づいたことを話し合いましょう。

ふだんの川のようす　桂川　山梨県 大月市

大雨の後，川原の形が変わったよ。

水の量が増えると，どうして川の水がにごっているのかな。

大雨がふった後の川のようす

川のようすを見てみよう。

大雨のときの川のようす

87

1 流れる水のはたらき

? 問題　流れる水には，どのようなはたらきがあり，量によってちがいがあるのだろうか。

💭 予想

水の量が増えた川のようすなどから，予想しましょう。

川の水がにごっているから，土は水といっしょに運ばれているのかな。

水がにごっているのは，川の上流で土地がけずられているからだと思う。

📖 計画　どのように調べればよいでしょうか。

4年で学んだこと

水は，高い場所から低い場所へと流れて集まる。

土はどこでけずられて，どこにたまるのか調べてみたいな。

4年のとき，校庭などに水が川のように流れているのを見たよ。実際の川のように，水を流して調べてみよう。

流す水の量を変えると，土の運ばれ方も変わると思う。

実験　流れる水の量とそのはたらきの関係を調べる。

① 流水実験器に土を入れ、
   ゆるい坂になるように置く。

② 上から静かに水を流す。

③ 流れが速いところ、
   曲がって流れているところ、
   流れがゆるやかなところの
   流れのようすを調べる。

④ 水が流れた後のようすを
   調べる。

⑤ 水の量を増やして、
   同じように調べる。

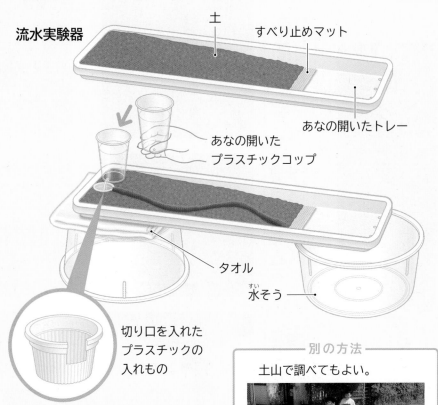

流水実験器

土

すべり止めマット

あなの開いた
プラスチックコップ

あなの開いたトレー

タオル

水そう

切り口を入れた
プラスチックの
入れもの

別の方法

土山で調べてもよい。

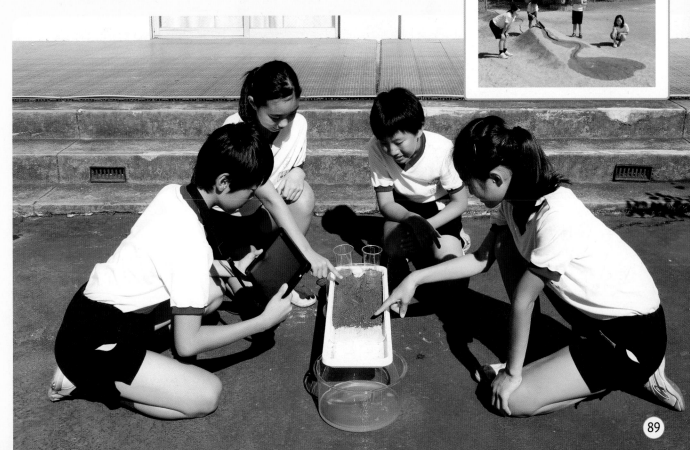

結果

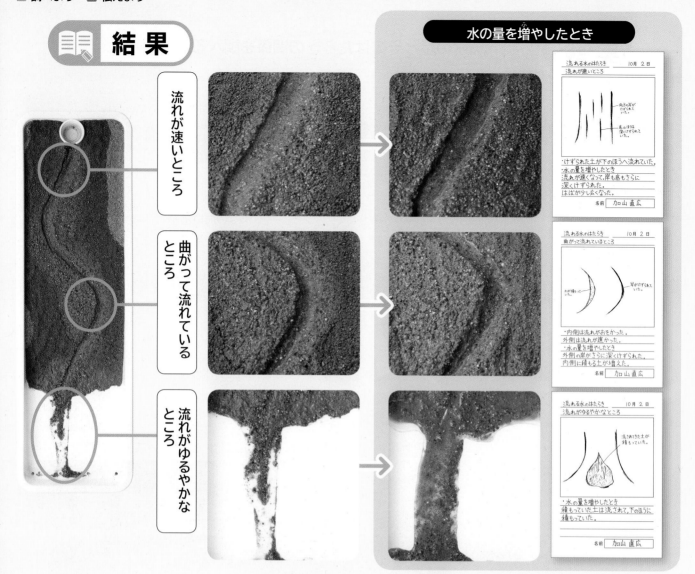

水の量を増やしたとき

流れが速いところ

曲がって流れているところ

流れがゆるやかなところ

結論

　流れる水には，土をけずったり，けずった土をおし流したり，積もらせたりするはたらきがある。水の量が増えると，水の流れは速くなり，けずったりおし流したりするはたらきは大きくなる。

　流れる水が地面などをけずることを**しん食**，けずったものをおし流すことを**運ぱん**，積もらせることを**たい積**という。

2 川と川原の石のようす

? 問題

流れる場所によって，川原の石には
どのようなちがいが見られるのだろうか。

予想

実験したときの流れる水のようすなどから
予想しましょう。

上流は水の流れが速いと思う。
だから，しん食するはたらきが
大きく，石の形は…

流れのゆるやかな
下流は運ぱんされた
石があると思うから，
石の大きさは…

★ 計画

どのように調べればよいでしょうか。

流れる水の速さが
ちがうところを
調べたいね。

山の中を流れる川

平地を流れる川

川のようすを
資料（しりょう）で調べてみよう。

山の中を流れる川と
平地を流れる川は，
流れる水の速さが
ちがうと思うから…

調べる 1

流れる水の速さと川原の石の
大きさや形の関係を調べる。

山の中から平地にかけて川や川原の石のようすを調べる。

1 緑川

2 猪名川

3 豊川

4 最上川

1 緑川
くまもと けん やまと ちょう
熊本県 山都町

2 猪名川
おおさか ふ のせ ちょう
大阪府 能勢町

3 豊川
あいち けん したら ちょう
愛知県 設楽町

4 最上川
やまがた けん よねざわ し
山形県 米沢市

30 cm ものさし

山の中を流れる川

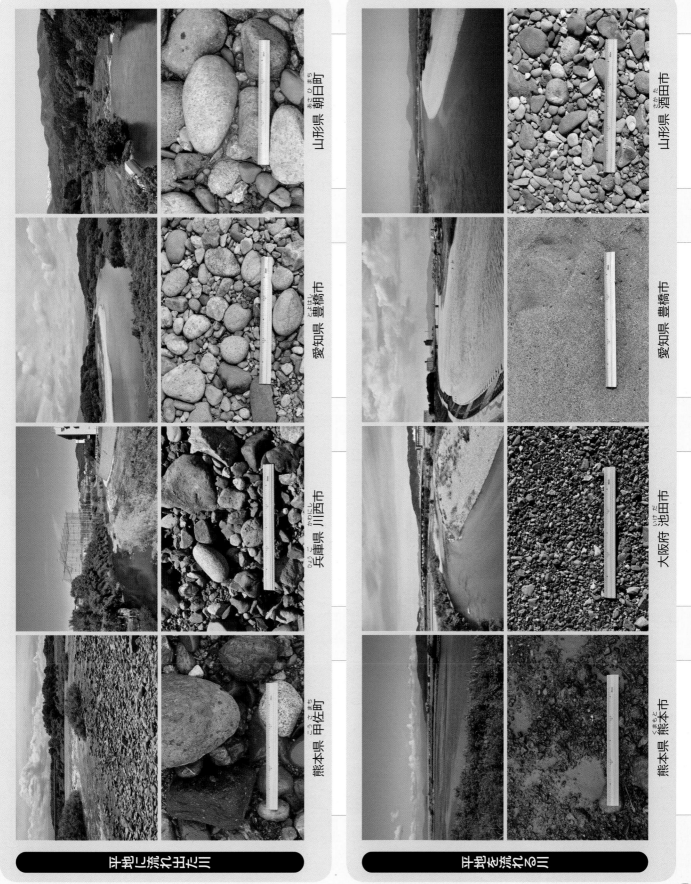

山形県 朝日町

愛知県 豊橋市

兵庫県 川西市

熊本県 甲佐町

平地に流れ出た川

山形県 酒田市

愛知県 豊橋市

大阪府 池田市

熊本県 熊本市

平地を流れる川

結 果

大井川　静岡県

山の中を流れる川

川の流れは速く，川の両岸は切り立ったがけになっている。川原の石は，大きくて角ばった石が多い。

平地に流れ出た川

川の流れはゆるやかで，川原ができている。山の中と比べ，小さくて丸みを帯びた石が多い。

平地を流れる川

川の流れはとてもゆるやかで，川原が広がっている。川原の石は，小さくて丸みをもった石やすなが多い。

！ 結 論

山の中を流れる川の石は大きく角ばった石が多く，

平地を流れる川の石は小さくて丸みをもった石が多い。

これは流れる水のはたらきによって，石がわれたり，

けずられたりして形を変えたからである。

３ 流れる水と変化する土地

問題 川を流れる水の量が増えると，土地の
ようすはどのように変化するのだろうか。

予想

これまで
学んだことから
予想しましょう。

実験では，水の量が増えると
流れる水のはたらきが
大きくなったから，
土地のようすは…

実験の結果と
同じように，
川も大きく土地を
変化させると思う。

計画 どのように調べればよいでしょうか。

雨がふったときの
川のようすを
調べればいいね。

川の水面の高さ
（水位）とふった雨量を
グラフで比べると
わかりやすいね。

そのときの
土地の変化の
ようすも調べると
いいね。

調べる２

水の量の変化と土地の変化の関係を調べる。

　自分が住んでいる地いきの雨量やその近くの川の
水位を，本やコンピュータなどで調べる。また，
そのときの土地の変化のようすも調べる。

📖 結 果

水位（10月）

(m)

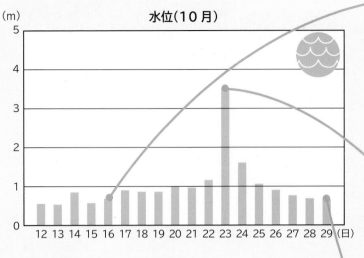

10月16日

10月23日

雨量（10月）

(mm)

10月29日

多摩川　東京都 府中市

こわされた橋
厚狭川　山口県 山陽小野田市

けずられた岸
那智川
和歌山県
那智勝浦町

長い年月をかけて
しん食された谷
黒部川　富山県

運ぱんされたものが
長い年月をかけてたい積した土地　安曇川　滋賀県

! 結論

　川を流れる水の量が増えると，流れる水のはたらきが大きくなり，

土地のようすは大きく変化する。このようなことがくり返され，

長い年月をかけて，土地はすがたを変えていく。

こう水のひ害やこう水に備えるくふう

日本は，かたむきが急で流れの速い川が多くあります。また，下の写真のような都市の川では，川底に水がしみこみにくくなっています。台風などで雨が短い時間に多くふったり，長い時間ふり続いたりしたときは，川の水の量が増えて，こう水が起こりやすくなります。

ふだんのときと
増水中の都市の川
石神井川　東京都 板橋区

● こう水のひ害

こう水のひ害について調べましょう。

川の水位が増えたときに
けずられた道路
左会津川　和歌山県 田辺市

こう水のときのようす
由良川　京都府 福知山市

● こう水に備えるくふう

こう水に備えるくふうを調べましょう。

多目的遊水地
ふだんは公園として利用され，大雨のときには
増えた水を一時的にためてこう水を防ぐ。

鶴見川多目的遊水地　神奈川県 横浜市

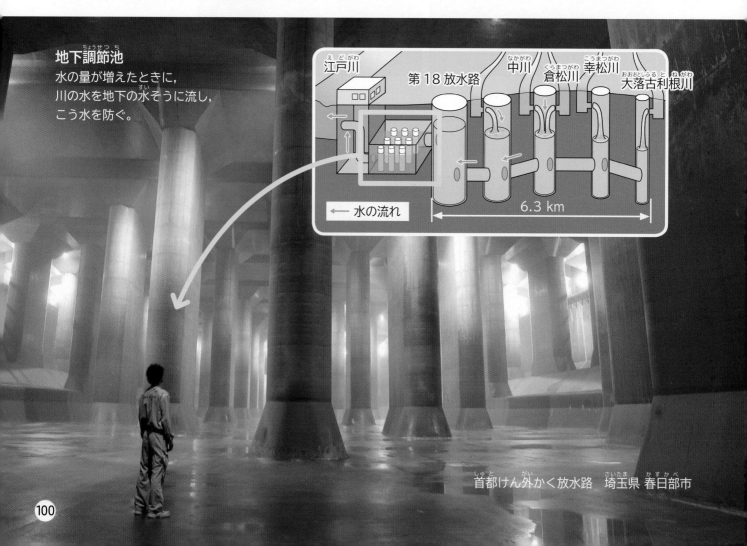

地下調節池
水の量が増えたときに，
川の水を地下の水そうに流し，
こう水を防ぐ。

江戸川　第18放水路　中川　倉松川　幸松川　大落古利根川

← 水の流れ

6.3 km

首都けん外かく放水路　埼玉県 春日部市

ダム　厳木ダム　佐賀県 唐津市
雨水をたくわえ，川の水の量を
調節することで，こう水を防ぐ。

さ防ダム　最上川　山形県
川底がけずられたり，石やすなが一度に
流されたりすることを防ぐ。

川のライブカメラ　大分県 大分市
こう水に備え，常に川のようすを
確にんすることができる。

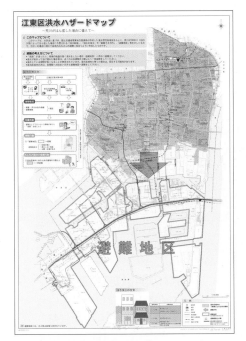

こう水ハザードマップ
こう水が起こったときに予想されるひ害の
ようすやひなん場所などが示されている。
東京都 江東区

こう水などが起こった
ときの，ひなんのしかたを
家族で考えよう。

実際に川へ行って調べよう！

これまで流れる水のはたらきと土地の変化について学んできました。ふり返って，実際に川へ行って調べましょう。

川の流れの速さや川原のようすのほか，こう水に備えるくふうを調べる。
神流川　群馬県 神流町

板の上に小石とすなを置いて，流されるようすを観察する。
浅川　東京都 八王子市

流れの速いところ　　流れのおそいところ

注意

● 一人で行動しない。
● ひざより深いところに入らない。
● 先生の指示を守って行動する。
● 天気が急に変化したら，すぐに中止する。

Science WORLD　自然を考えた川づくり

サイエンスワールド

はってん

ESD　かん境　防災

最近ではこう水を防ぐためだけでなく，自然豊かな川を目指した川づくりが行われています。
例えば，川の生物や岸辺の植物などにえいきょうが出ないようにしたてい防や，魚の通り道を確保したものがあります。

あなの開いたブロック
あなの開いたブロックを使うことで，魚やこん虫などがすみやすいかん境にしている。
上内田川　熊本県 山鹿市

魚道
階だんのような坂をつくることで，魚が川を移動できるようにしている。
芥川　大阪府 高槻市

すがたを変える土地

流れる水のはたらきによって，土地は長い年月をかけてすがたを変えます。場所によって，特ちょうのある地形ができます。

● Ｖ字谷

山の中を流れる川は，流れが速く，川底をしん食して谷ができます。そして，長い年月の間しん食が続くと，深い谷がつくられます。

深い谷となった地形は，アルファベットの「Ｖ」の形に見えることからＶ字谷とよばれます。

実験で水の量を増やしたとき，流れの速いところでは，底のほうが深くけずられた。

Ｖ字谷のでき方

 → 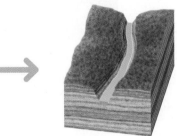 →

① 流れる水によって，けずられて谷ができる。

② 川の周りよりも川底をしん食して，谷が深くなる。

③ さらに，深くけずられた谷はがけになる。

● 三角州

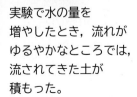

平地を流れる川は，山の中でしん食された土砂が運ぱんされてたい積します。河口付近まで運ぱんされた土砂は，たい積して土地をつくります。

つくられた土地は三角形の形に似ていることから，三角州とよばれます。

三角州のでき方

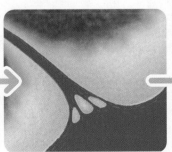 →  →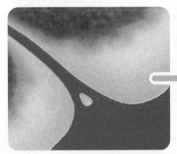

① 流れがゆるやかで，川の真ん中に土砂がたまる。

② 土砂がどんどん積もっていく。

③ 三角形の土地ができる。

実験で水の量を増やしたとき，流れがゆるやかなところでは，流されてきた土が積もった。

**流れる水のはたらきと土地の変化について，
学んだことを確かめましょう。**

❶ 右の写真の㋐と㋑がどのようにして
できたかを，「しん食」，「運ぱん」，
「たい積」の言葉を使って
説明しましょう。

　また，大雨がふると，この辺りの
川はどのように変化するでしょうか。
予想しましょう。

四万十川　高知県

❷ 下の㋒と㋓の川原の石の写真は，どちらが山の中の川の
ようすで，どちらが平地を流れる川のようすでしょうか。
その理由も説明しましょう。

川原の石

川原の石

2015 年 9 月
迫川 宮城県

2016 年 8 月
ペケレベツ川 北海道

❶ 雨がふり続いたり,台風などで大雨が
ふったりしたとき,どのような災害が
起こると考えられるでしょうか。
流れる水の量と流れる水のはたらきを
関係づけて説明しましょう。

❷ あなたの住む地いきの,川のようすについて考えましょう。

㋐ その川はどの辺りにふった雨水が集まり,
どこへ流れていく川でしょうか。

㋑ 川のようすやその川で見られる石の大ききや形から
山の中の川のようすと,平地を流れる川のようすと
どちらに似ているでしょうか。

㋒ 大雨がふると,その川はどのようになりますか。

㋓ 大雨がふったとき,あなたはどのようなことに
気をつけるとよいでしょうか。

資料
りかの
たまてばこ

緑のダムといわれる森林

何日も雨がふらない日が続いても,川の水が流れ続けて
いるのはどうしてでしょうか。

山にふった雨水は森林のかれ葉などが積もった土に
しみこみ,やがてわき水となり,小さな川になります。
いくつもの小さな川が集まって大きな川となります。

このように森林には,雨水を調節するはたらきがあるので,
こう水やがけくずれが起こることを防ぐ大きな役わりが
あります。このため,森林は「緑のダム」といわれています。

森林を保安林として大切にしている。
大分県 佐伯市

給食室で大きななべに
食塩を入れてとかしているようす
東京都 日野市

食塩

7 ○○○○

もののとけ方

→ 理科室のきまりは,
176 ～ 177 ページ。
薬品のあつかい方は,
177 ページ。

　給食室や家で調理をするとき,食塩やさとうを
水などに加えてとかします。
　食塩を水にとかして,気づいたことを話し合いましょう。

ティーバッグに入れた食塩

わりばし

時間がたつと…

さらに時間が
たつと…

食塩が見えなく
なったね。

　水に食塩やさとうがとけた液体のように，
水にものがとけたとうめいな液体のことを，
水よう液といいます。

食塩

食塩の水よう液（食塩水）

水に入れた食塩が
どうなるか，見てみよう。

1 とけたもののゆくえ

食塩のつぶは
見えなくなったけど，
水よう液の中に
あるのかな。

水よう液の重さは，
とかす前の
水の重さと
同じなのかな。

? 問題

水にものをとかした後の水よう液の重さは，
どうなるのだろうか。

予想

経験したことや学んだことから予想しましょう。

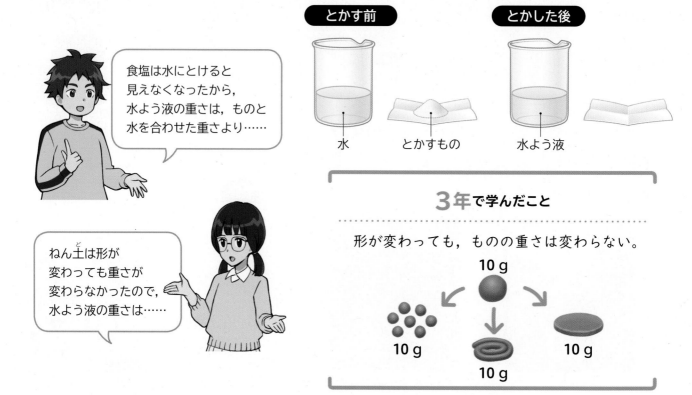

食塩は水にとけると
見えなくなったから，
水よう液の重さは，ものと
水を合わせた重さより……

ねん土は形が
変わっても重さが
変わらなかったので，
水よう液の重さは……

とかす前

とかした後

水　　とかすもの　　水よう液

3年で学んだこと

形が変わっても，ものの重さは変わらない。

10 g

10 g　　　10 g

10 g

計画  どのように調べればよいでしょうか。

> とかす前の食塩の重さと水の重さを合わせた重さと、とかした後の水よう液の重さを比べたらどうかな。

> とかす前と後で、薬包紙や容器の重さは変わらないね。これらも入れた全体の重さで調べよう。

実験1 とかす前の全体の重さととかした後の全体の重さを比べながら調べる。

① とかす前の全体の重さをはかる。

② 水が入った容器に食塩を入れ、ふたをしてよくふり、全てとかす。

③ とかした後の全体の重さをはかり、①の重さと比べる。

注意 薬品が目に入らないように、保護めがねをかける。

→ 理科室のきまりは、176～177ページ。薬品のあつかい方は、177ページ。電子てんびんの使い方は、181ページ。

電子てんびん

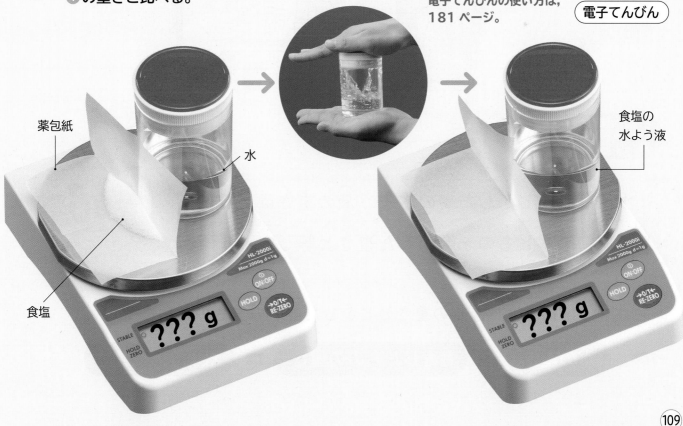

薬包紙

食塩

水

??? g

食塩の水よう液

??? g

 **結 果**

結果	
とかす前の全体の重さ	105 g
とかした後の全体の重さ	105 g

 **考 察**　結果からいえることを話し合いましょう。

とかした後のほうが
とかす前よりも軽いと
思っていたけど，
変わらなかった。

とかす前と
とかした後では，
全体の重さは
変化しないんだね。

容器と薬包紙の
重さは，とかす前と
後で変わらないから…

結 論

ものは，とけて
見えなくなっても，
水よう液の中に
あるんだね。

水にものをとかした後の水よう液の重さは，

とかす前の水とものを合わせた重さと等しい。

水よう液の重さは，水の重さととかしたものの重さの和になる。

水の重さ ＋ とかしたものの重さ ＝ 水よう液の重さ

TRY! 深めよう

どのようにとけているか見てみよう！

実験1で，ものは水にとけて見えなくなっても水よう液の中にあることがわかりましたが，水よう液の中にものはどのようにとけているのでしょうか。

とかした後，しばらくすると下のほうがこくなるんじゃないかな。

① ビーカーに水とコーヒーシュガーを入れる。かき混ぜてとかし，色を見る。

かくはんぼう

コーヒーシュガー

色がついているので，とけているようすがわかりやすい。

② しばらくして，もう一度色を見る。

色はどこも同じこさになった。しばらくしても，色はどこも同じこさのまま変わらない。

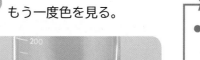

注意

- 薬品が目に入らないように，保護めがねをかける。
- かくはんぼうでビーカーをわらないようにする。

→ 理科室のきまりは，176〜177ページ。薬品のあつかい方は，177ページ。

水よう液には色のついているものもあればついていないものもあるけど，全てとうめいだよ。

水よう液の中では，とけているものは全体に一様に広がります。

ものが水にとけるようすを図に表してみよう。

Science WORLD サイエンスワールド

水にとけるとは

中学校で学ぶこと はってん

ものは目に見えないほど小さなつぶからできています。ものを水にとかすと，つぶはばらばらになるので目に見えなくなり，水よう液はとうめいになります。つぶは水全体に一様に広がっていて，時間がたっても散らばったままなので，水よう液のこさはどこも同じままです。

食塩の水よう液

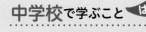

水

食塩のつぶのかたまり（見える。）

食塩を入れると……

つぶが全体に広がる。（つぶは見えない。）

2 水にとけるものの量

問題を見つける

ものは，どれだけ入れても
水にとけるのかな。

問題

ものが水にとける量には
限（かぎ）りがあるのだろうか。

予想

経験（けいけん）したことや学んだことから予想しましょう。

食塩は水にとけると
見えなくなったから，
限りなくとけると思う。

見えなくなっても
食塩は水の中にあったので，
ものがとける量には…

ものによって
ちがうんじゃ
ないかな。

計画

どのように調べればよいでしょうか。

決まった量の水に
食塩をとかしていって，
どこまでとけるか
調べればいいと思う。

ミョウバンでも調べてみよう。
ミョウバンは，食品のほぞんや
ナスのつけものの色が変わる
のを防（ふせ）ぐのに使われるよ。

ミョウバン

実験2　ものが水にとける量を，条件を整えて調べる。

① 水 50 mL をメスシリンダーで
   はかりとり，ビーカーに入れる。

② 5 g の食塩を水に加え，
   かき混ぜてとかす。

③ とけたらさらに食塩 5 g を
   加え，とけるか調べる。
   これをくり返して行う。

④ ミョウバンも同じように調べる。

ポイント

● ミョウバンについて調べるときに使う
  ビーカーには食塩の水よう液と区別する
  テープをはっておく。

● ビーカーの下に黒い紙をしくと，
  とけたかわかりやすい。

● 水よう液が入ったビーカーは，
  実験 3 のためにとっておく。

食塩 5 g

水 50 mL

注意
● 薬品が目に入らないように，
  保護めがねをかける。
● かくはんぼうでビーカーを
  わらないようにする。

 理科室のきまりは，
176 ～ 177 ページ。
薬品のあつかい方は，
177 ページ。
メスシリンダーの使い方は，
181 ページ。
電子てんびんの使い方は，
181 ページ。

メスシリンダー

📖 結果

結果
水 50 mL　　　　　　○：とけた。✕：とけ残った。

加えた重さの合計	5g	10g	15g	20g
食塩	○	○	○	✕
ミョウバン	○	✕		

考察

結果からいえることを話し合いましょう。

> ものは限りなくとけると思っていたけど，食塩は 15 g ぐらいまでしかとけなかったよ。

> 食塩とミョウバンでは，とける量がちがったね。

❗ 結論

ものが決まった量の水にとける量には限りがある。

また，ものによって，決まった量の水にとける量はちがう。

🔭 問題を見つける

実験 2 で，とけきらなかった食塩やミョウバンが，ビーカーの底に残りました。

> もっとたくさんとかすことはできないのかな。

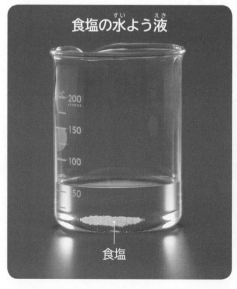

食塩の水よう液

食塩

ミョウバンの水よう液

ミョウバン

問 題　食塩やミョウバンのとける量を増やすには，どうすればよいのだろうか。

予 想

経験したことや学んだことから予想しましょう。

> 決まった量の水にとけるものの量には，限りがあったので……

> あたたかい飲みもののほうが冷たい飲みものよりも，さとうがよくとけると思うから……

計 画　どのように調べればよいでしょうか。

> [ア]と[イ]のどちらかを選んで実験しよう。

[ア] 水の量を増やす。

> 実験2でものがとけ残ったビーカーに水を加えて，水の量を増やしたらどうかな。

		実験2の水よう液	実験3
変える条件	水の量	50 mL	100 mL
変えない条件	水よう液の温度	室内の温度と同じ。	

> 実験2でつくった水よう液を使おう。水の量は50 mLだったね。水よう液の温度は室内の温度と同じになっているよ。

[イ] 水よう液の温度を上げる。

> 実験2でものがとけ残ったビーカーをあたためて，水よう液の温度を上げたらどうかな。

		実験2の水よう液	実験3
変えない条件	水の量	50 mL	
変える条件	水よう液の温度	室内の温度と同じ。	室内の温度より高い温度

実験3　水の量や水よう液の温度を変えたときの
ものが水にとける量を，条件を整えて調べる。

［ア］水の量を増やす。

① 実験2で食塩がとけ残った
ビーカーに水50 mLを
加えてかき混ぜ，
食塩がとけるか調べる。

② とけたら，食塩5 gを加え，
とけるか調べる。
②をくり返して行う。

水50 mL

実験2でミョウバンが
とけ残ったビーカー

実験2で食塩が
とけ残ったビーカー

実験2でつくった水よう液には，
食塩は20 g，ミョウバンは10 g
入っているね。

［イ］水よう液の温度を上げる。

① 実験2で食塩がとけ残った
ビーカーを湯に入れて
かき混ぜ，食塩がとけるか
調べる。

② とけたら，食塩5 gを加え，
とけるか調べる。
②をくり返して行う。

実験2で食塩が
とけ残った
ビーカー

実験2でミョウバンが
とけ残ったビーカー

湯を入れた発ぽうポリスチレンの容器

ポイント

約60 ℃の湯を使う。

③ 同じようにして,
実験2でミョウバンが
とけ残ったビーカーについても
調べる。

③ 同じようにして,
実験2でミョウバンが
とけ残ったビーカーについても
調べる。

注意
● 薬品が目に入らないように, 保護めがねをかける。
● かくはんぼうでビーカーをわらないようにする。
● 湯でやけどをしないようにする。

→ 理科室のきまりは, 176 〜 177 ページ。
薬品のあつかい方は, 177 ページ。
メスシリンダーの使い方は, 181 ページ。
電子てんびんの使い方は, 181 ページ。

ポイント ［イ］の水よう液が入ったビーカーは,
とっておく。

📖 **結 果**

実験2で，食塩は15gまで，ミョウバンは5gまではとけたね。

結果

水の量を増やしたとき

○：実験2でとけた分　◯：とけた。×：とけ残った。

加えた重さの合計	5g	10g	15g	20g	25g	30g	35g	40g
食塩	○	○	○	◯	◯	◯	◯	×
ミョウバン	○	○	×					

結果

水よう液の温度を上げたとき

○：実験2でとけた分　◯：とけた。×：とけ残った。

加えた重さの合計	5g	10g	15g	20g	25g	30g	35g	40g
食塩	○	○	○	×				
ミョウバン	○	○	○	×				

食塩はとけ残りがとけなかった。

💬 **考 察**　結果からいえることを話し合いましょう。

食塩もミョウバンも，水の量を増やすと，とける量が増えたね。

温度を上げたとき，ミョウバンはとける量が増えたけど，食塩はとけ残りがとけなかったね。

❗ **結 論**

水の量を増やすと，食塩やミョウバンが水にとける量は増える。

水よう液の温度を上げると，ミョウバンはとける量が増えるが，

食塩はとける量がほとんど変わらない。

ものが水にとける量は，水の量や温度によってちがう。

3 とかしたもののとり出し方

問題を見つける

実験3［イ］で水よう液の
温度を上げたときには
とけていたミョウバンが，
時間がたつと出てきました。
食塩の水よう液は，ほとんど
変化がありません。

時間がたつと…

実験3［イ］でできた
ミョウバンの水よう液

出てきたミョウバン

> とけていたミョウバンが
> 出てきたみたいだね。

> ミョウバンが出てきたのは，
> 水よう液が冷めたから
> かな。もっと冷やしたら，
> また出てくるのかな。

> 食塩の水よう液は
> 食塩が出てきていない
> みたいだけど，食塩も
> とり出せないかな。

> 出てきたミョウバンや
> とけ残った食塩を
> とりのぞいて，
> 液体だけにして調べたいね。

実験3［イ］の水よう液の
食塩やミョウバンを
とりのぞきましょう。

液体をこして，混ざっている
固体をとりのぞくことを**ろ過**と
いいます。

また，ろ過でろ紙を通った
液体をろ液といいます。

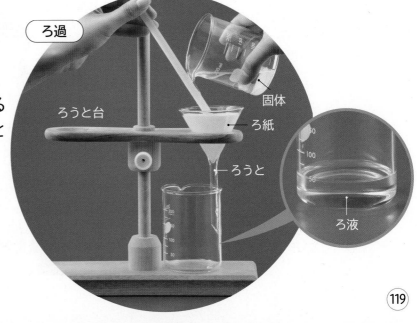

ろ過

ろうと台

固体

ろ紙

ろうと

ろ液

理科室のきまりは，
176 ～ 177 ページ。
ろ過のしかたは，
182 ページ。

？ 問 題　水よう液にとけている食塩やミョウバンをとり出すことはできるのだろうか。

予 想　経験したことや学んだことから予想しましょう。

水の量を増やすと,
とける量が増えたので,
水の量を減らすと
とけたものが出てくると思う。

温度を上げると,
とける量が増えたので,
温度を下げると…

計 画　どのように調べればよいでしょうか。

熱して水を
じょう発させたら
いいんじゃないかな。

水の量を減らすには,
どうしたらいいかな。

温度を下げるには,
氷水につけて冷やして
みたらどうかな。

[ア]と[イ]の
どちらかを選んで
実験しよう。

実験 4 水の量や水よう液の温度と，とけているものが出てくることの関係を調べる。

［ア］水の量を減らす。

　ろ液を約 1 mL じょう発皿にとり，熱して水の量を減らし，食塩やミョウバンが出てくるか調べる。

ろ液

理科実験用ガスコンロ

注意

● 薬品が目に入らないように，保護めがねをかける。

● 熱しているときは，薬品がとんでくることがあるので，上からのぞいたり，顔を近づけたりしない。

● 液体が残っているうちに熱するのをやめる。

● 熱したものや使った器具は熱くなっているので，冷めるまでさわってはいけない。

［イ］水よう液の温度を下げる。

　氷水でろ液を冷やし，食塩やミョウバンが出てくるか調べる。

 理科室のきまりは，176 ～ 177 ページ。薬品のあつかい方は，177 ページ。こまごめピペットの使い方は，182 ページ。実験用ガスこんろの使い方は，183 ページ。

こまごめピペット

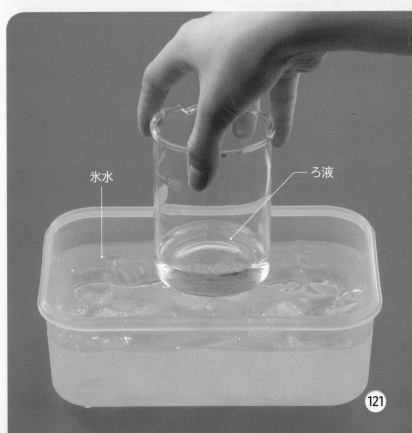

氷水　　　　ろ液

📖 結 果

［ア］水の量を減らす。　［イ］水よう液の温度を下げる。

食塩の
水よう液のろ液

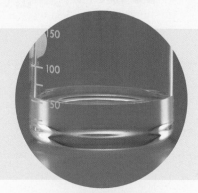

ミョウバンの
水よう液のろ液

🗣 考 察

結果からいえることを話し合いましょう。

予想どおり，じょう発させて
水の量を減らすととけている
ものをとり出せたね。

温度を下げたとき，
ミョウバンはつぶが
出てきたけど，
食塩は出てこなかったね。

❗ 結 論

水の量を減らすと，水よう液にとけている食塩やミョウバンを

とり出すことができる。

水よう液の温度を下げると，ミョウバンはとり出すことが

できるが，食塩はほとんどとり出すことができない。

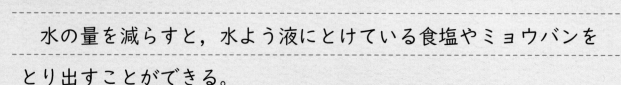

**水にとける食塩や
ミョウバンの量**

50 mL の水にとける量

温度	食塩	ミョウバン
0 ℃	17.8 g	2.9 g
20 ℃	17.9 g	5.7 g
40 ℃	18.2 g	11.9 g
60 ℃	18.5 g	28.7 g

右の表からもわかるように，食塩とミョウバンでは同じ
温度でも，同じ量の水にとける量がちがいます。

さらに，温度によっても，とける量は変わります。
50 mL の水にとけるミョウバンの量は，20 ℃で 5.7 g，
40 ℃で 11.9 g なので，実験 3 で温度を上げたとき，
ミョウバンのとけ残りは全部とけました。一方，食塩は，
50 mL の水にとける量が 20 ℃で 17.9 g，
40 ℃で 18.2 g とあまり変わらないので，温度を上げても
とけ残りがほとんどとけなかったのです。

> 水の量によっても，とける量は
> 変わったね。20 ℃，100 mL の
> 水に食塩は 17.9 g × 2＝35.8 g
> とけるよ。

TRY!
深めよう

大きなミョウバンを
つくってみよう！

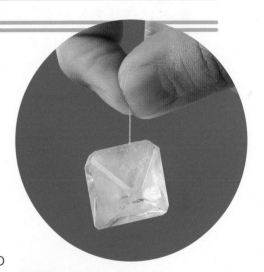

　ミョウバンは，温度が上がるととける量が
増えるので，高い温度の水にミョウバンをとかし，
その水よう液の温度を下げると，たくさんの
ミョウバンが出てきます。下の方法で，
大きなミョウバンをつくりましょう。

① 約 60 ℃ の湯にミョウバンを
たくさんとかして水よう液をつくり，
しばらく置いて冷ます。冷めると，
小さなミョウバンのつぶが出てくる。

② 水を入れたビーカーを熱しながら，
ミョウバンをとけるだけとかす。

③ ①のつぶを糸につける。
②の液体に，糸につけたつぶを入れる。

④ 発ぽうポリスチレンなどの箱に入れて
静かに置き，ゆっくりと冷ます。

ミョウバンの
水よう液

ミョウバンの
つぶ

→ 理科室のきまりは，
176 ～ 177 ページ。
薬品のあつかい方は，
177 ページ。
実験用ガスこんろの使い方は，
183 ページ。

注意

● 薬品が目に入らないように，
保護めがねをかける。

● 湯でやけどをしないようにする。

● 熱したものや使った器具は
熱くなっているので，
冷めるまでさわってはいけない。

123

　　もののとけ方について，学んだことを確かめましょう。

❶ 水にものがとけたとうめいな液体を
　何というでしょうか。

❷ 水50gに食塩5gをとかしました。
　食塩の水よう液の重さは何gになるでしょうか。

50 g　　5 g

? g

❸ 水にミョウバンを入れて，かき混ぜた
　ところ，ミョウバンがとけ残りました。
　とけ残りをとかすためには，
　どのようにすればよいでしょうか。
　方法を2つ挙げて説明しましょう。

❹ 右の図は，ろ過をしているところを
　表しています。ろ過のしかたとして
　直したほうがよいところはどこでしょうか。
　2つ挙げて説明しましょう。

学んだことを生かして，
問題にちょう戦してみましょう。

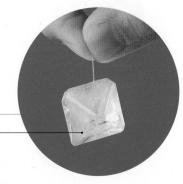
ミョウバン

❶ ひでおさんは，授業でミョウバンの水よう液の
温度を下げてミョウバンをとり出す実験を
しました。このときとり出したミョウバンが
とてもきれいだったので，家で，とけるだけ
とかした食塩の水よう液の温度を下げる実験を
しました。しかし，食塩をたくさんとり出す
ことはできませんでした。その理由を
説明しましょう。

このように
とり出すのは
むずかしかった。

食塩

資料
りかの
たまてばこ

日本の伝統的な塩づくり

石川県 珠洲市

日本では，日光でかわかす
などして海水からこい塩水を
つくり，これを熱して水を
じょう発させる方法で，塩を
つくってきました。
　現在は，日光を利用せずに
海水からこい塩水をつくる
技術が開発されています。
そのため，天気のえいきょうを
受けずに安定して塩をつくる
ことができます。
　右の写真は，塩づくりを
伝統的な方法で行っている
ようすです。

①海水をくむ。

②海水をまいて，日光でかわかす。

④かまどでこい塩水を熱して，
　水をじょう発させる。

③かわいたすなを集めて箱に入れ，
　そこに海水を注いで箱の下から
　出てくるこい塩水をとり出す。

8···
ふりこの動き

糸におもりをつけ，おもりを横に引いて
はなすと，おもりは行ったりきたりを
くり返します。これを**ふりこ**といいます。
ふりこを作って音楽やメトロノームに
合わせて動かし，気づいたことを
話し合いましょう。

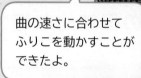

曲の速さに合わせて
ふりこを動かすことが
できたよ。

ふりこの作り方

たこ糸
おもり
ガラスや金属の玉など

ねん着テープ
はる。
両面テープ

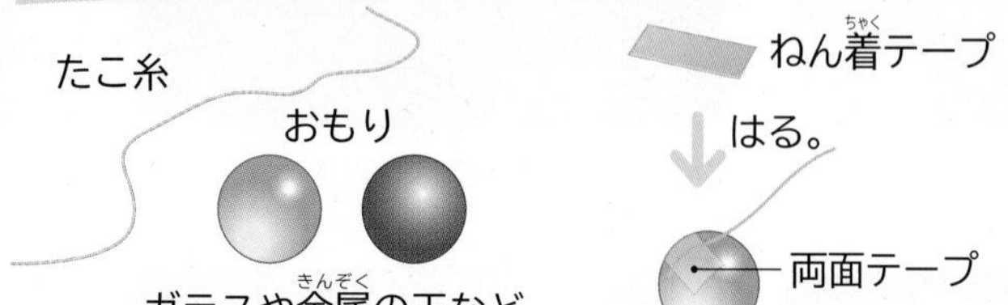

上の図のようにして，糸におもりをつけてふりこを作る。

ポイント

ふりこを持つ手は，
動かさないようにする。

── 別の方法 ──

熱しゅうしゅくチューブを使ってもよい。

熱しゅうしゅく
チューブ
ドライヤーなどの
熱でちぢまる。

熱を加える。

たこ糸
おもり

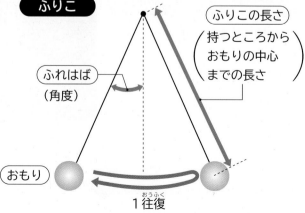

ふりこ

ふりこの長さ
持つところから
おもりの中心
までの長さ

ふれはば
（角度）

おもり

1往復

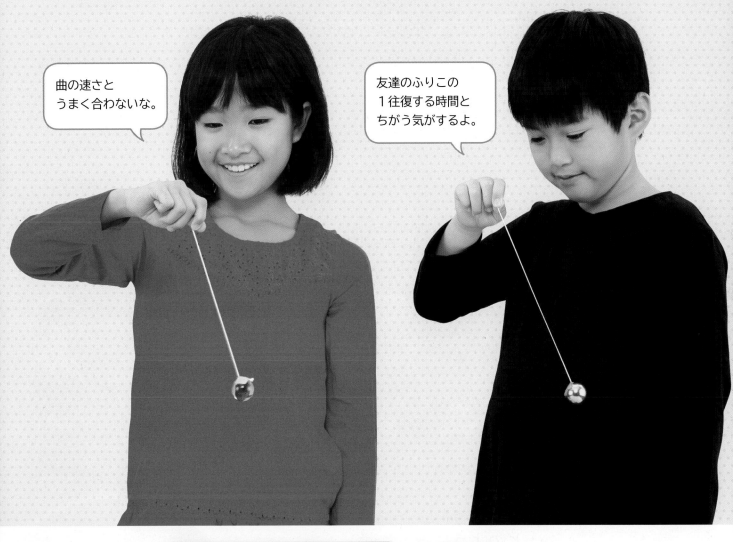

曲の速さと
うまく合わないな。

友達のふりこの
1往復する時間と
ちがう気がするよ。

身の回りで見られるふりこの動き

ぶらんこ

（2まいの写真を合成したもの）

ふりこ時計

とびらを開けた
ときのようす

ふりこの動き方を
よく見てみよう。

ふりこの1往復する時間

？ 問題　ふりこの1往復する時間は，
何によって変わるのだろうか。

予想　音楽やメトロノームに合わせて，
ふりこを動かしたことから予想しましょう。

ふりこの長さを長くした分，
1往復する時間は長くなる
と思う。

重いほうが勢いがついて，
1往復する時間は短くなる
と思うな。

ふれはばが大きいほうが
動くきょりが長くなるから，
1往復する時間は長くなる
と思うよ。

ふりこの長さ
短い　長い

おもりの重さ
軽い　重い

ふれはば
小さい　大きい

★ 計画　どのように調べれば
よいでしょうか。

1往復する時間を
はかるのって
むずかしいな。

10往復する時間を
はかってみるのは
どうかな。

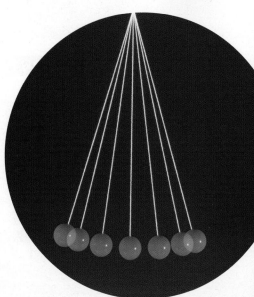

1 往復する時間の求め方

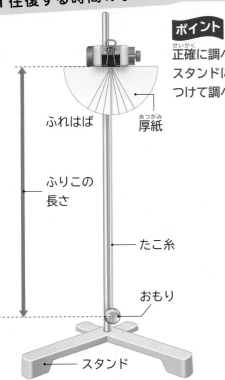

ふれはば
厚紙（あつがみ）
ふりこの長さ
たこ糸
おもり
スタンド

ポイント
正確（せいかく）に調べるために，スタンドにふりこをつけて調べる。

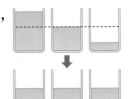

デジタルタイマー

- ふりこの 10 往復する時間は，デジタルタイマーなどではかる。
- ふりこがふれてから，もう一度最初の位置にもどってきたときを 1 往復とする。
- ふりこを動かしてから，約 2 回往復させた後にはかり始める。

はかり方のわずかなちがいなどで，結果が同じにならないことが多い。そのときは，平均を出して調べよう。

算数で学ぶこと

いくつかの数や量をならして，等しくしたときの大きさを，それらの数や量の平均（へいきん）という。平均は，下の式で求められる。

$$平均 = 合計 \div 個数（こすう）$$

10往復する時間（秒）	1回目	12
	2回目	13
	3回目	13
	合計	38
10往復する時間の平均（秒）		12.7
1往復する時間の平均（秒）		1.3

❶ 10 往復する時間を 3 回はかって，それを合計する。

（1回目の時間（秒）） + （2回目の時間（秒）） + （3回目の時間（秒）） = （10 往復する時間の合計（秒））

❷ 10 往復する時間の平均を求める。

（10 往復する時間の合計（秒）） ÷ 3 = （10 往復する時間の平均（秒））

❸ 1 往復する時間の平均を求める。

（10 往復する時間の平均（秒）） ÷ 10 = （1 往復する時間の平均（秒））

ポイント
結果の表には，小数第 2 位を四しゃ五入して小数第 1 位まで書く。

12.6̇6̇秒 ➡ 12.7秒

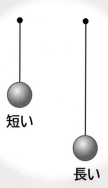

ふりこの長さ と
ふりこの1往復する時間の関係

短い

長い

比べるときは,
調べる条件を1つだけ
変えて,それ以外の条件を
同じにすればいいね。

ふりこの長さが関係しているか
調べるときは,変える条件を…,
変えない条件を…

おもりの重さが
関係しているか
調べるときは…

ふれはばが
関係しているか
調べるときは…

おもりの重さ と
ふりこの1往復する時間の関係

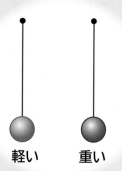

軽い　　重い

ふれはば と
ふりこの1往復する時間の関係

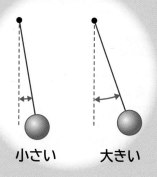

小さい　　大きい

実験1-1

変える条件	ふりこの長さ	20 cm	40 cm	60 cm
変えない条件	おもりの重さ	32 g (ガラスの玉)		
	ふれはば	20°		

結果

実験1-1

ふりこの長さ		20 cm	40 cm	60 cm
10往復する 時間 (秒)	1回目			
	2回目			
	3回目			
	合計			
10往復する時間の平均 (秒)				
1往復する時間の平均 (秒)				

→ 実験 1-1

実験1-2

変えない条件	ふりこの長さ	40 cm		
変える条件	おもりの重さ	10 g (木の玉)	32 g (ガラスの玉)	110 g (金属の玉)
変えない条件	ふれはば	20°		

実験1-2

おもりの重さ		10 g (木の玉)	32 g (ガラスの玉)	110 g (金属の玉)
10往復する 時間 (秒)	1回目			
	2回目			
	3回目			
	合計			
10往復する時間の平均 (秒)				
1往復する時間の平均 (秒)				

→ 実験 1-2

実験1-3

変えない条件	ふりこの長さ	40 cm		
	おもりの重さ	32 g (ガラスの玉)		
変える条件	ふれはば	10°	20°	30°

実験1-3

ふれはば		10°	20°	30°
10往復する 時間 (秒)	1回目			
	2回目			
	3回目			
	合計			
10往復する時間の平均 (秒)				
1往復する時間の平均 (秒)				

→ 実験 1-3

実験 1-1

**ふりこの 1 往復する時間は,
ふりこの長さで変わるか条件を整えて調べる。**

① ふりこの長さを 40 cm, おもりの重さを
ガラスの玉の重さ, ふれはばを 20°にする。
ふりこの 10 往復する時間を 3 回はかる。

② ふりこの長さを 20 cm や 60 cm に変えて,
①と同じように調べる。

③ それぞれのふりこの長さについて,
ふりこの 1 往復する時間を計算する。

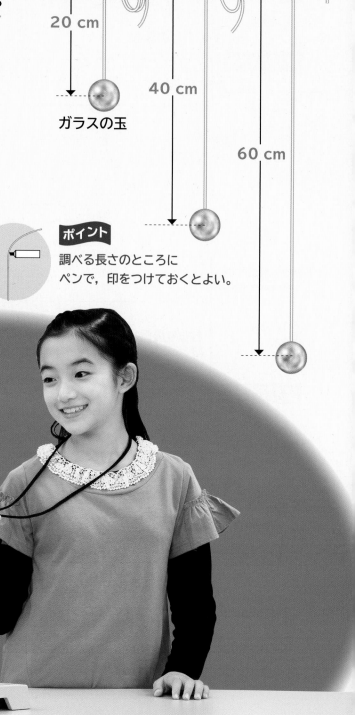

20 cm

ガラスの玉

40 cm

60 cm

ポイント

調べる長さのところに
ペンで, 印をつけておくとよい。

注意 スタンドがたおれないように,
ふりこは静かにふる。

実 験 1-2

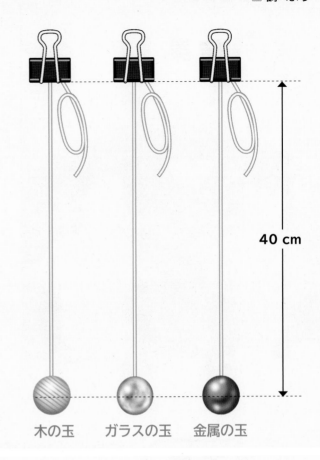

**ふりこの 1 往復する時間は，
おもりの重さで変わるか条件を整えて調べる。**

① ふりこの長さを 40 cm，おもりの重さを
ガラスの玉の重さ，ふれはばを 20°にする。
ふりこの 10 往復する時間を 3 回はかる。

② おもりの重さを木の玉や金属(きんぞく)の玉に変えて，
①と同じように調べる。

③ それぞれのおもりの重さについて，
ふりこの 1 往復する時間を計算する。

40 cm

木の玉　　ガラスの玉　　金属の玉

実 験 1-3

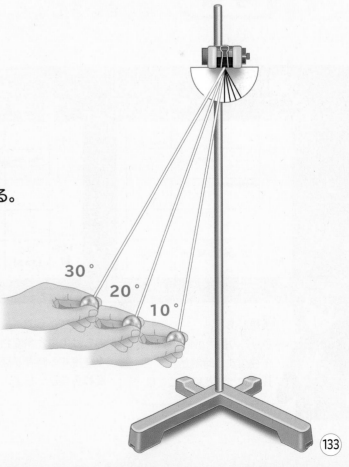

**ふりこの 1 往復する時間は，
ふれはばで変わるか条件を整えて調べる。**

① ふりこの長さを 40 cm，おもりの重さを
ガラスの玉の重さ，ふれはばを 20°にする。
ふりこの 10 往復する時間を 3 回はかる。

② ふれはばを 10°や 30°に変えて，
①と同じように調べる。

③ それぞれのふれはばについて，
ふりこの 1 往復する時間を計算する。

30°
20°
10°

結果

結果

実験1-1

ふりこの長さ		20 cm	40 cm	60 cm
10往復する 時間 (秒)	1回目	8	12	16
	2回目	9	13	16
	3回目	9	13	15
	合計	26	38	47
10往復する時間の平均 (秒)		8.7	12.7	15.7
1往復する時間の平均 (秒)		0.9	1.3	1.6

実験1-2

おもりの重さ		10 g (木の玉)	32 g (ガラスの玉)	110 g (金属の玉)
10往復する 時間 (秒)	1回目	14	13	13
	2回目	13	13	12
	3回目	13	12	13
	合計	40	38	38
10往復する時間の平均 (秒)		13.3	12.7	12.7
1往復する時間の平均 (秒)		1.3	1.3	1.3

実験1-3

ふれはば		10°	20°	30°
10往復する 時間 (秒)	1回目	13	13	13
	2回目	13	12	14
	3回目	12	14	13
	合計	38	39	40
10往復する時間の平均 (秒)		12.7	13.0	13.3
1往復する時間の平均 (秒)		1.3	1.3	1.3

考察

結果からいえることを話し合いましょう。

結果にはわずかなばらつきがあるかもしれないので，みんなの結果を集めて考えよう。

結果

ふりこの長さ

おもりの重さ

ふれはば

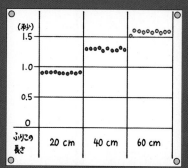

予想どおり，ふりこの長さが長くなると，1往復する時間が長くなったということは…

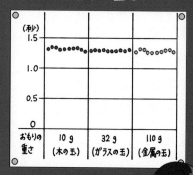

予想とちがって，おもりの重さが変わっても，1往復する時間がほとんど変わらなかったよ。

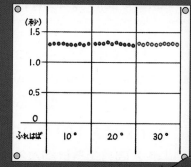

ふれはばの結果も，ほとんど変わらなかったから，1往復する時間と関係しているのは…

! 結論

　ふりこの1往復する時間は，ふりこの
長さによって変わる。ふりこの長さが長い
ときほど，1往復する時間が長くなる。

　ふりこの1往復する時間は，おもりの重さや
ふれはばによっては変わらない。

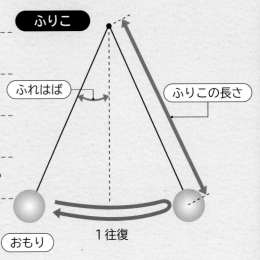

ふりこ

ふれはば

ふりこの長さ

おもり

1往復

TRY!
深めよう

ふりこの長さをもっと長くしてみよう！

　実験1のふりこよりも長くしたふりこを用意して，
ふりこの1往復する時間を比べましょう。

長くすれば，
1往復する時間は
もっと長くなる
はずだね。

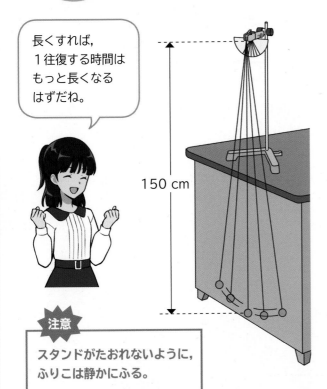

150 cm

注意

スタンドがたおれないように，
ふりこは静かにふる。

ふりこの動きに合わせて動いてみる。

ふりこのしくみを利用したメトロノーム

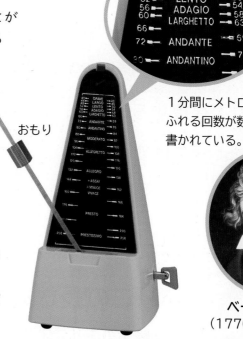

音楽の授業のときにメトロノームを使ったことがありますか。メトロノームは，楽器を演そうするときに曲の速さを正確に示すための道具です。

メトロノームには，ふりこのしくみが利用されています。おもりの位置を上下させると，ふりこの長さが変わり，1分間にふれる回数を変えることができます。

メトロノームを最初に使ったのは，ドイツの作曲家のベートーベンだといわれています。1817年のことです。

ベートーベンは，耳が悪くなり，とてもこまっていました。しかし，メトロノームを使うことで，耳で聞くことなく目で見て曲の速さがわかるようになって，大変助かったと伝えられています。

おもり

1分間にメトロノームのふれる回数が数字で書かれている。

ベートーベン
(1770 ～ 1827年)

メトロノームを作ってみよう！

作ってみよう

メトロノームを作って，曲に合わせて演そうしましょう。

竹ひご — セロハンテープ

目玉クリップ

工作用紙
長さ 25 cm,
はば 2 cm

磁石
（工作用紙のうら側にもつける。）

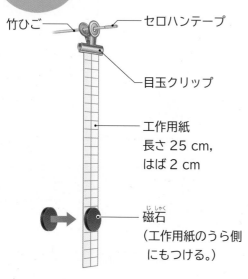

ガリレオ・ガリレイの発見と それを伝える手紙

ふりこのふれはばが変わっても，ふりこの1往復する時間が変わらないこと（ふりこの等時性）を発見したのは，イタリアのガリレオ・ガリレイです。

今から約400年前，ガリレオ・ガリレイは，ピサという町の教会で礼はいをしていました。その教会のシャンデリアが，ふりこのように左右にゆっくりとゆれるようすを見て，不思議なことに気づきました。

ゆれるはばが小さくなってきても，大きくゆれているときと，1往復する時間に変わりがないように見えたのです。そこで，ガリレオ・ガリレイは自分の脈はくを数えて1往復する時間をはかって，それを確かめました。

このようにして，ガリレオ・ガリレイはふりこの等時性を発見したといわれています。

ガリレオ・ガリレイは，ふりこの研究を手紙に書いて，ほかの人々に伝えました。

その手紙が残っているので，どのような研究をしていたかがわかります。

ガリレオ・ガリレイ
（1564〜1642年）

今でも科学者は，自分の考えを本に書いたり，ろん文などで発表したりしています。また，ろん文に書かれた内容は，多くの科学者によって，正しいかどうか確かめられます。

こうして多くの科学者の研究や考えが積み重ねられて，数々の成果が生まれているのです。

みなさんも，ぎ問に思ったことや考えたことをたくさんの人に伝えて，いろいろな人の意見を聞いてみましょう。

▶ **ふりこの動きについて，学んだことを確かめましょう。**

❶ ふりこの1往復する時間は，
ふりこの長さ，おもりの重さ，
ふれはばのうち，
何によって変わり，
何によって変わらないか
説明しましょう。

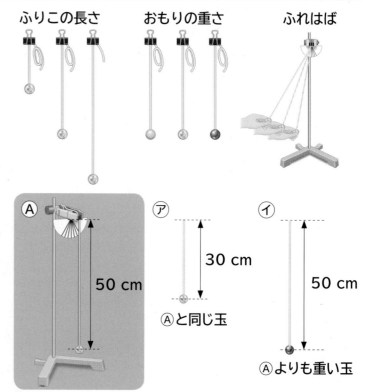

ふりこの長さ　　おもりの重さ　　ふれはば

❷ 右の図で，Ⓐのふりこを
㋐と㋑のふりこに変えたとき，
ふりこの1往復する時間は，
それぞれどのようになる
でしょうか。

Ⓐ 50 cm

㋐ 30 cm
Ⓐと同じ玉

㋑ 50 cm
Ⓐよりも重い玉

資料 りかの
たまてばこ

長さのちがうふりこを
同時にゆらすと？

　長さを調節したふりこを，長さの順につるします。
それらのふりこを同時にゆらすと，右の写真のように
見えます。このように見えるのは，ふりこの長さに
よって1往復する時間が変わるからです。

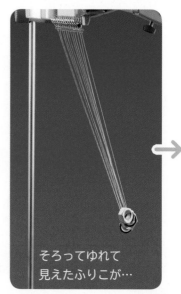

そろってゆれて
見えたふりこが…

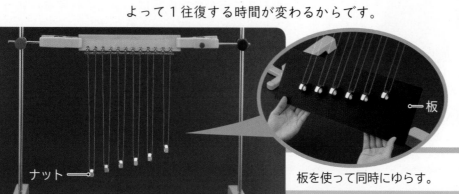

ナット

板

板を使って同時にゆらす。

**学んだことを生かして,
問題にちょう戦してみましょう。**

① 電気で動く時計が使われるようになる
前は,ふりこの動きを利用した時計が
使われていました。

　時計のはりが速く進みがちなとき,
調節ねじをどのようにすると,直す
ことができるでしょうか。

　また,夏になって暑くなると,
時計のはりがおくれることが
ありました。理由を説明しましょう。

ふりこ時計

おもり

調節ねじ

（ふりこの長さを調節
することができる。）

ふりこのおもりは,
金属でできているよ。

ふりこの長さを
うまく調節すると,
このように見えるよ。

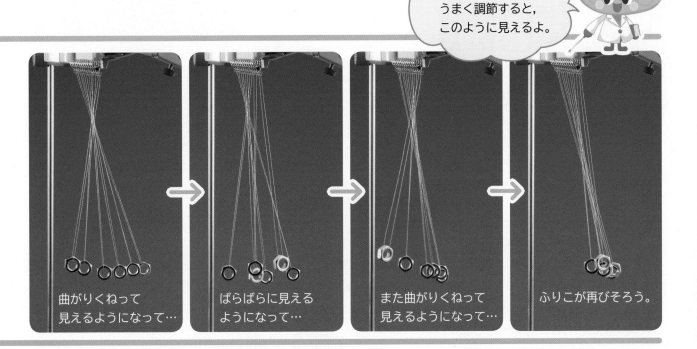

曲がりくねって
見えるようになって…

ばらばらに見える
ようになって…

また曲がりくねって
見えるようになって…

ふりこが再びそろう。

9 ⋯⋯

電磁石の性質

コイルの中に鉄心を入れて電流を流すと、磁石のようなはたらきをします。これを**電磁石**といいます。

電磁石を作って、気づいたことを話し合いましょう。

> クリップが引きつけられたよ。

電磁石

コイル 導線を同じ向きに何回もまいたもの

— ビニル導線

電磁石 鉄心（鉄くぎ）

スイッチ

クリップ

電磁石の作り方

❶ 長さ約 10 cm の鉄くぎに、約 2.5 m のビニル導線（しんが1本で太さが 0.4 mm のもの）を同じ向きに 50 回まく。

同じ向きに 50 回まく。

❷ 導線の両はしのビニルを約 2 cm むき、右の図のようにかん電池につなぐ。

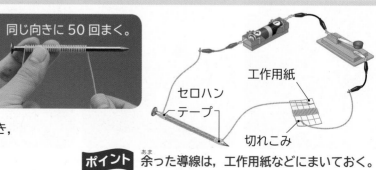

工作用紙

セロハンテープ

切れこみ

ポイント 余った導線は、工作用紙などにまいておく。

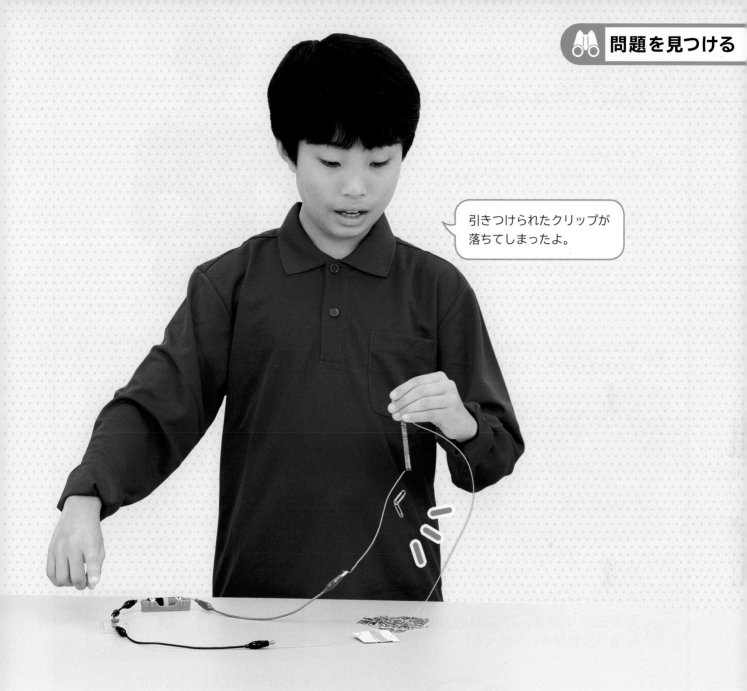

引きつけられたクリップが
落ちてしまったよ。

電磁石が鉄を
引きつけるようすを
よく見てみよう。

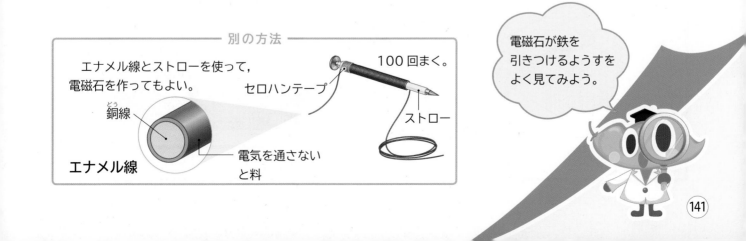

別の方法

エナメル線とストローを使って,
電磁石を作ってもよい。

セロハンテープ

100回まく。

銅線

エナメル線

電気を通さない
と料

ストロー

[電磁石の性質を磁石と比べよう]

① 電流を流したり，止めたりして，
電磁石が鉄を引きつけるか調べる。

 注意 かん電池をコイルにつないだままにすると，コイルが熱くなるので，調べるときだけ電流を流す。

② 電磁石とクリップの間に紙などを入れて，
はなれていても，鉄を引きつけるか調べる。

紙を入れないとき

紙を入れたとき

③ 電流を流したまま，方位磁針にゆっくり近づけて，
N極やS極があるか調べる。

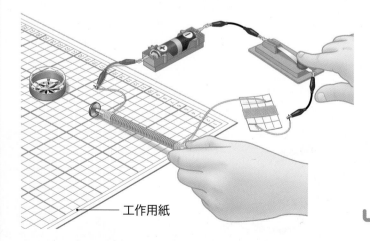
工作用紙

3年で学んだこと

磁石とは…

● 鉄を引きつける。

● はなれていても，
鉄を引きつける。

だんボール紙

● N極とS極がある。

● 同じ極どうしはしりぞけ合い，
ちがう極どうしは引き合う。

	鉄を引きつけたか。	いつも磁石の はたらきがあったか。	はなれていても 鉄を引きつけたか。	N 極や S 極があったか。
磁石	引きつけた。	あった。	引きつけた。	あった。
電磁石	引きつけた。	電流が流れるとき だけあった。	引きつけた。	あった。

友達の作った電磁石と, 方位磁針のはりのふれる 向きがちがったよ。

電磁石によって 極がちがっているんだね。

N 極と S 極を 入れかえることは できないのかな。

鉄板やくず鉄などの重い荷物を 運ぶのに利用されている電磁石

鉄のリサイクル工場などでは, 電磁石の性質を利用した クレーンが使われているよ。

1 電磁石の極

? 問題

電磁石の極を変えるには，
どのようにすればよいのだろうか。

予想

電磁石を作ったことや
これまでに学んだことなどから予想しましょう。

電磁石にも
N極とS極があったから…

モーターを回したときのように，
電流の向きを反対にすれば…

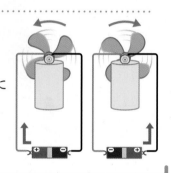

4年で学んだこと

● 回路を流れる電気の
　ことを電流という。
● かん電池の向きを反対に
　すると，電流の向きは
　反対になる。

計画

どのように調べればよいでしょうか。

かん電池の向きを反対にして，
電流の向きを変えて
調べればいいと思うよ。

方位磁針を使うと，
N極とS極のどちらの極か
確かめられるね。

実験1 電流の向きと電磁石の極のでき方の関係を調べる。

1 右の写真のような回路をつくり,
電磁石のN極とS極が
どちらにできるか調べる。

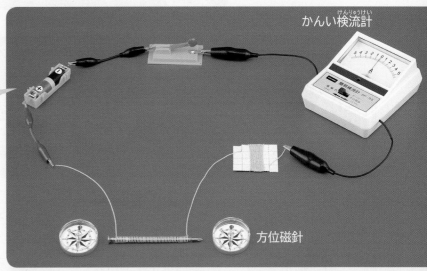

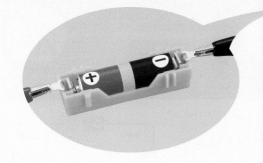

かんい検流計

方位磁針

2 かん電池の＋極と－極を
反対にして電磁石をつなぎ,
1と同じように調べる。

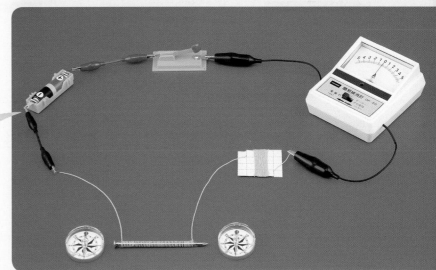

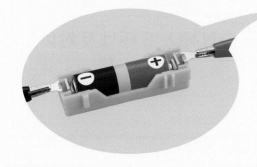

注意

かん電池をコイルにつないだままに
すると,コイルが熱くなるので,
調べるときだけ電流を流す。

→ かんい検流計の
使い方は,
183ページ。

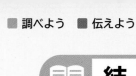　**結 果**

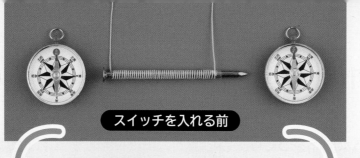

スイッチを入れる前

スイッチを入れた後

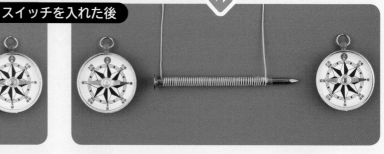

 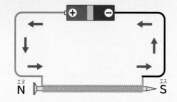

N　S

 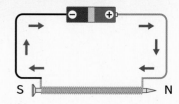

S　N

　**結 論**

電流の流れる向きを反対にすると，電磁石のN極とS極は反対になる。

りかの
たまてばこ

電磁石の性質を利用したかぎ

科学・技術

電気じょうは，電磁石の性質を利用したかぎで，学校の校門などに使われています。
　電気じょうの中には，電磁石が入っています。そのため，電流を流すと電磁石が磁石のようなはたらきをすることで，かぎをかけることができます。電流を流すのをやめると，かぎを開けることができます。

電気じょう

電気じょうが使われた校門　兵庫県 加古川市
電気じょうに電流を流すと，中に入った電磁石が，引き戸側についた鉄板を引きつける。

２ 電磁石の強さ

? 問題　電磁石が鉄を引きつける力を，もっと強くするにはどのようにすればよいのだろうか。

予想　これまでに学んだことや経験したことから予想しましょう。

かん電池２個を直列つなぎにすると，電流が大きくなってモーターが速く回ったから…

はじめに作った電磁石のコイルのまき数は 50 回まきだったから，まき数を多くするといいと思う。

４年で学んだこと

● かん電池２個のつなぎ方によって，流れる電流の大きさは変わる。
● かん電池１個のときと比べて，かん電池２個の直列つなぎのときは，モーターは速く回り，豆電球は明るくなる。
へい列つなぎのときは，変わらない。

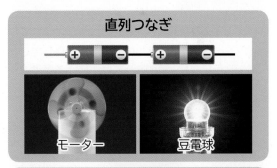

直列つなぎ

モーター　　豆電球

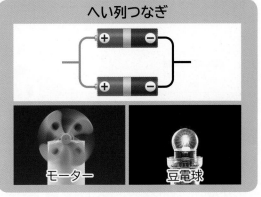

へい列つなぎ

モーター　　豆電球

📖 計画

どのように調べればよいでしょうか。

比べるときは、調べる条件を1つだけ変えて、それ以外の条件は同じにするから…

電流の大きさが関係しているか調べるときは、変える条件を…、変えない条件を…

コイルのまき数が関係しているか調べるときは、変える条件を…、変えない条件を…

電流の大きさは、かんい検流計や電流計で調べることができたね。

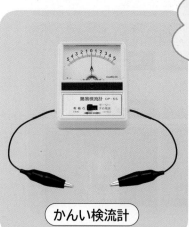

かんい検流計

かんい検流計の使い方は、183ページ。

電流の大きさ と
電磁石の強さの関係

変える条件	かん電池の数	1個	2個
変えない条件	コイルのまき数	50回	

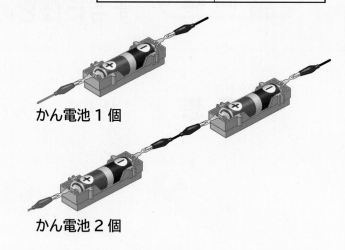

かん電池1個

かん電池2個

コイルのまき数 と
電磁石の強さの関係

変えない条件	かん電池の数	1個	
変える条件	コイルのまき数	50回	100回

50回まき

100回まき

100回まきコイルの作り方

50回まきと同じ向きにまく。

ここの導線を使って、50回まきのコイルを100回まきにする。

実 験 2-1　電流の大きさと電磁石の強さの関係を条件を整えて調べる。

① 右の図のようにかんい検流計を
つなぎ，回路に流れる電流の
大きさをはかる。

② 電磁石をクリップに近づけ，
引きつけたクリップの数を調べる。
引きつけられたクリップを全て
外して，さらにくり返し2回調べる。

③ かん電池2個を直列につないで，
かん電池1個のときと同じように
調べる。

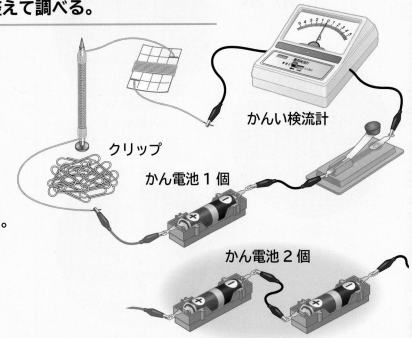

かんい検流計

クリップ

かん電池1個

かん電池2個

実 験 2-2　コイルのまき数と電磁石の強さの関係を条件を整えて調べる。

① 右の図のようにかんい検流計を
つなぎ，回路に流れる電流の
大きさをはかる。

② 電磁石をクリップに近づけ，
引きつけたクリップの数を調べる。
引きつけられたクリップを全て
外して，さらにくり返し2回調べる。

③ コイルのまき数を100回まきにして，
50回まきと同じように調べる。

100回まき

50回まき

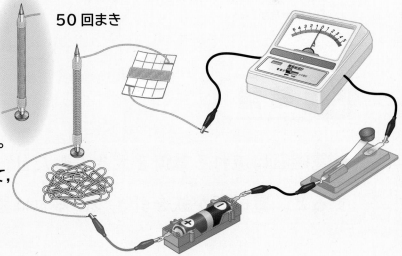

 注意
● 実験2-1，2-2は，かん電池をコイルにつないだままにすると，
コイルが熱くなるので，調べるときだけ電流を流す。
● 電流が流れすぎるので，電げんそうちは使わない。

結果

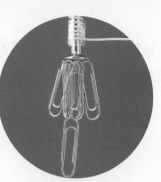

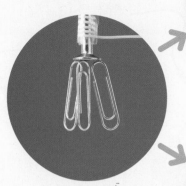

かん電池1個
50回まきのとき

かん電池2個
50回まきのとき

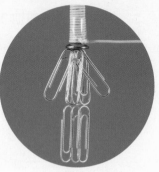

かん電池1個
100回まきのとき

結果

実験2-1
電流の大きさと電磁石の強さの関係

かん電池の数	電流の大きさ	クリップの数			
		1回目	2回目	3回目	合計
1個	1.2 A	3	3	4	10
2個	1.7 A	9	7	7	23

実験2-2
コイルのまき数と電磁石の強さの関係

コイルのまき数	電流の大きさ	クリップの数			
		1回目	2回目	3回目	合計
50回	1.2 A	3	4	3	10
100回	1.2 A	8	9	8	25

考察　結果からいえることを話し合いましょう。

電流を大きくすると，引きつけられたクリップの数が多くなったから…

コイルのまき数を多くすると，引きつけられたクリップの数が多くなったから…

！ 結論

電磁石に流れる電流を大きくしたり，コイルのまき数を多くしたりすると，電磁石が鉄を引きつける力は強くなる。

電流の大きさやコイルのまき数を変えれば，電磁石の強さを調整することができるんだね。

電磁石に流れる電流の大きさや，コイルのまき数を変えると，電磁石の強さも変わる。

電磁石を利用したおもちゃを作ってみよう！

● 強力電磁石

コイルのまき数を多くすると，鉄を引きつける力が強くなる。

ポイント 強力な電磁石を作るため，エナメル線を使う。

 かん境 使い終わったかん電池は，決められたところに集める。

① 紙をまいてセロハンテープで留める。

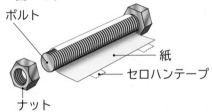

ボルト
紙
セロハンテープ
ナット

② 太さが 0.4 mm のエナメル線を同じ向きに約 400 回まく。

エナメル線

注意

急に落ちることがあるので，電磁石に重いものをつけて高く持ち上げすぎないようにする。

● ひらひらチョウ

電流が流れると，磁石のついたチョウが電磁石としりぞけ合ってひらひら動く。

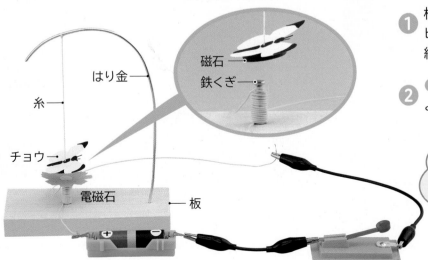

はり金
糸
チョウ
電磁石
板
磁石
鉄くぎ

① 板に打ちこんだ鉄くぎに，ビニル導線を同じ向きに約 30 回まく。

② ①で作ったものを，左の写真のような回路につなげる。

電磁石と磁石は，同じ極どうし向かい合うようにしよう。

強力電磁石

東京都 三鷹市

電磁石と
わたしたちの生活

● 強力電磁石

電磁石の強さは，電流の大きさやコイルのまき数で変わります。この性質を利用して，いろいろな強さの電磁石を作ることができます。下の強力電磁石は，コイルのまき数を多くすることで，かん電池1個だけで，約60kgのものを持ち上げることができます。

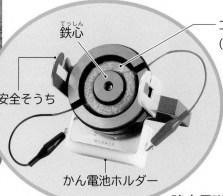

鉄心

コイル
（エナメル線がまかれている。）

安全そうち

かん電池ホルダー

強力電磁石

注意

ものをつるす前に，安全そうちが，正しくはたらくか確かめる。

● モーターの回るしくみ

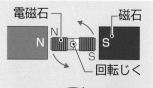

モーターのつくり

回転じく

電磁石

磁石

もけいなどに使われるモーターでは，回転じくに電磁石がとりつけられ，その周りに磁石があります。電磁石の電流の向きをタイミングよく変えて，N極とS極を変えています。

そのため，周りの磁石と反発する力や引き合う力が連続的に生まれ，回転できるのです。

1 電磁石と磁石の同じ極どうしが反発する。

電磁石　磁石

回転じく

2 電磁石が回転し始める。

3 電磁石と磁石のちがう極どうしが引き合う。

4 半回転したときに電流の向きを変えると，N極とS極が反対になる。すると，再び反発し合って回転が進む。

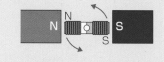

● 身の回りで活やくするモーター

　わたしたちの身の回りでたくさん使われている
モーターにも，電磁石が入っています。けい帯電話
などの小さなものから，リニアモーターカーなどの
大きなものまでモーターが使われ，電磁石の性質を
利用して動いています。電磁石がわたしたちの
生活を支えているのです。

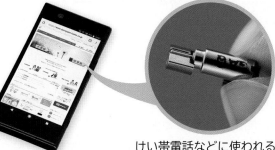

けい帯電話

けい帯電話などに使われる
小さなモーター

ロボットに
使われている
モーター

ロボット

電動車いす

リニアモーターカー　　愛知県 名古屋市

● 活やくが期待される電気自動車

　最近，電気自動車を見かけることが多く
なりました。電気自動車は，電気を使って
動かしたモーターで走る自動車です。

　はいガスを出さないので，はいガスで
空気をよごすことがありません。

　年々，電気自動車の電気をじゅう電する
ところも多くなっています。

電気自動車　　神奈川県 横浜市

モーター

超電導リニア

　2045年に東京と大阪の間で開業予定（東京と名古屋の間は2027年予定）の中央新幹線には，超電導リニア（リニアモーターカーの1つ）が使われます。この超電導リニアは，時速500kmで走行することができ，開業後は東京と大阪の間が67分で結ばれます。

　この超電導リニアにも，電磁石の性質が利用されています。

すい進コイル

進行
方向
車両

超電導リニア　山梨県

すい進のしくみ

すい進コイルとよばれるコイルに電流を流すことで，N極とS極ができる。そのコイルのN極とS極をタイミングよく変えると，車両の電磁石との間で，引き合う力と反発する力がはたらき，車両が進む。

北九州市立児童文化科学館　福岡県 北九州市

生活に深く関係している電気について，科学館や博物館で体験できるよ。

すい進コイル

リニアモーターカー

ボタン

ボタンをおすと，リニアモーターカーが動き出す。

電磁石が発明されるまで

● 電流と磁石の関係を発見したエルステッド

電流と磁石は関係があります。この関係を発見したのが
デンマークの科学者のエルステッドです。エルステッドは，
1820 年に電流の流れている導線（どうせん）の近くに，たまたま置いてあった
方位磁針（じしん）のはりが動いたことから，
電流が流れると，磁石のはたらきが
生まれることを発見しました。

エルステッド
（1777 ～ 1851 年）

北から南へ電流を流したとき

導線が上のとき　　導線が下のとき

● 2 つの事実を関係づけて電磁石を発明したスタージャン

スタージャン
（1783 ～ 1850 年）

電磁石は，1825 年にスタージャンというイギリスの科学者が
発明しました。スタージャンは，2 つの事実を関係づけて考え，
電磁石を発明しました。1 つは，「鉄を磁石に近づけると，鉄が
磁石になる」という事実です。この事実はスタージャンが
生まれる前から知られていました。もう 1 つは，エルステッドに
よって発見された「電流が流れると，磁石のはたらきが生まれる」
という事実です。これらの 2 つの事実を関係づけて考えました。

電流が生み出す磁石のはたらきを高めるために，導線を同じ
向きに何回もまいたコイルを作り，そのコイルの中に鉄心（てっしん）を入れ
ました。これに電流を流してみると，鉄心は磁石のはたらきを
現（あらわ）したのです。

「2 つのことを 1 つにしてみる」と，新しいアイデアが生まれる
ことがあります。みなさんも，いろいろな事実を 1 つにして
大発明をしてみましょう。

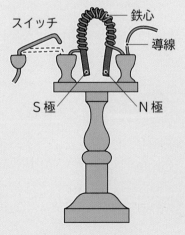

スタージャンが
発明した電磁石

スイッチ　鉄心
導線
S極　N極

確かめよう ▶ 電磁石の性質について，学んだことを確かめましょう。

❶ 電磁石と磁石の同じ性質を 2 つ挙げましょう。

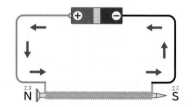

❷ 電磁石の極を変えるには，どのように
すればよいでしょうか。方法を 1 つ挙げましょう。

❸ 右の写真の電磁石の ㋐ の部分は，
何極でしょうか。

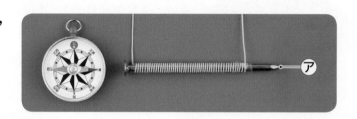

学んだことを 生かそう ▶ 学んだことを生かして，問題にちょう戦してみましょう。

❶ ともさんは，下のようなクレーンで，ものをつり上げようと
しましたが，電磁石にクリップが引きつけられても，すぐに
落ちてしまい，つり上げることができませんでした。
　クレーンにどのようなくふうをすると，つり上げることが
できるようになるでしょうか。方法を 1 つ挙げましょう。

どのようにすれば
つり上げられるかな。

クレーン

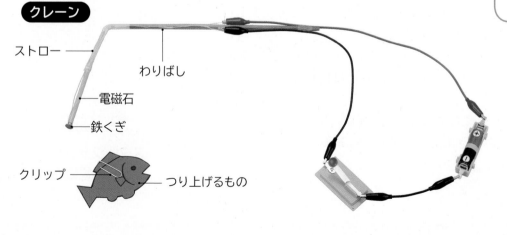

ストロー

わりばし

電磁石

鉄くぎ

クリップ ── つり上げるもの

❷ 工場で使われているクレーンには，
鉄を運ぶために，磁石ではなく
電磁石が使われることが多いです。
その理由を説明しましょう。

電磁石

中学校で学ぶこと　はってん

Science WORLD サイエンスワールド 鉄心がなくても回るモーター

　鉄心を入れたコイルに電流を流すと，電磁石に
なりました。しかし，右のような鉄心がないコイルに
電流を流しても，磁石の性質が現れます。
　コイルに鉄心を入れるのは，磁石の性質を強くする
ためなのです。

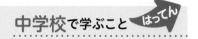

↓電流

コイルだけでも
ふれる方位磁針

エナメル線のはしの一方のと料を全部けずり
落とし，もう一方は，半分だけけずり落とす。

磁石
N極側

あな

上から
見たところ

S極側

クリップとエナメル線が
接しょくするようにする。

セロハンテープ
切れこみを入れる。

クリップ
エナメル線

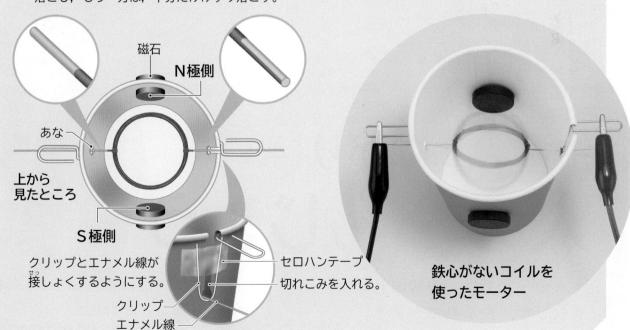

鉄心がないコイルを
使ったモーター

中学校 2 年「電流と磁界」で学ぶ内容です。

10 ⚫⚪⚫

生命のつながり［4］
人のたんじょう

　人の子どもは，母親のおなかの中で
成長して，生まれてきます。
　人のたんじょうについて，気づいた
ことを話し合いましょう。

赤ちゃんは，
お母さんのおなかの中で
大きくなって
生まれてくるね。

おなかの中で，子どもは
どのように成長するのか，
くわしく見てみよう。

赤ちゃんが大きく
育つのには，時間が
かかりそうだね。

その間，赤ちゃんは
おなかの中でどのように
過ごしているんだろう。

母親のおなかの中での子どもの成長

　母親のおなかの中にある，
生まれる前の子どもがいるところを
子宮（しきゅう）といいます。
　また，子宮の中にいる
子どものことを胎児（たいじ）といいます。

? 問題　胎児は，母親の子宮の中で，どのように
成長して生まれてくるのだろうか。

予想　これまでに学んだことや経験（けいけん）したことから，
予想しましょう。

メダカ

人

人も，メダカと同じように
受精卵（じゅせいらん）が変化して
生まれてくるんじゃ
ないかな。

養分　赤ちゃん

大きく成長するには
養分が必要だよ。
お母さんから養分を
もらっていると思う。

 計画　胎児の成長のようすについて，
どのように調べればよいでしょうか。

受精卵が変化していくのか，
養分はお母さんからもらうのか，
本などで調べて確かめるといいね。

どのくらいの時間で
どのくらいの
大きさになるのかを調べて，
メダカと比べればいいよ。

調べる　胎児の成長のようすを
メダカの成長のようすと比べながら調べる。

胎児の成長のようすについて，
下のようなことを本やコンピュータなどで調べる。

- 胎児の形や大きさの変化
- 胎児が養分をもらうしくみ
- 子宮のようす

博物館などで調べたり，
保健室の先生に
聞いてみたりするのもいいね。

2017年9月現在

日本科学未来館
東京都 江東区

結果

女性の体の中でつくられた卵（卵子）と，男性の体の中で
つくられた精子が受精して，受精卵ができる。
受精卵は胎児になり，子宮の中で約 38 週間育てられる。

受精後 約 7 週間

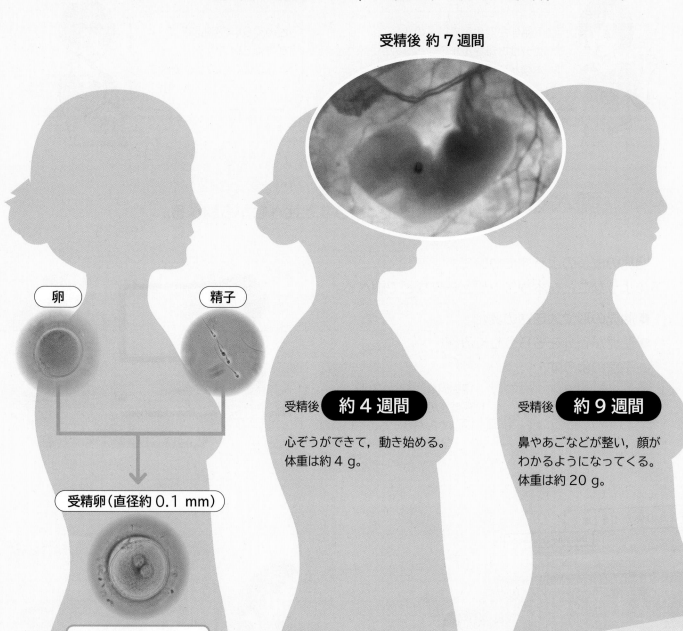

卵

精子

受精卵（直径約 0.1 mm）

実際の大きさは
この丸の 10 分の 1

受精卵

子宮

受精後 **約 4 週間**

心ぞうができて，動き始める。
体重は約 4 g。

約 6 mm

受精後 **約 9 週間**

鼻やあごなどが整い，顔が
わかるようになってくる。
体重は約 20 g。

約 4 cm

受精後 約20週間

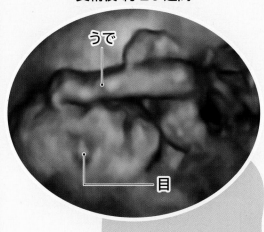

うで

目

　子宮の中にいる胎児の周りは**羊水**で満たされていて，胎児は**たいばん**と**へそのお**で母親とつながっている。そして，成長に必要な養分などは，たいばんからへそのおを通して母親から運ばれている。
　わたしたちの体にあるへそは，へそのおがとれたあとである。

子宮の中のようすについては164ページを見よう。

受精後 **約20週間**

手足のきん肉が発達して，体がよく動くようになる。
身長は約28 cm，
体重は約650 g。

受精後 **約38週間**

生まれる少し前。
身長は約50 cm，
体重は約3 kg。

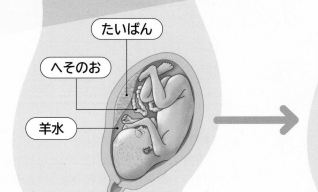

たいばん

へそのお

羊水

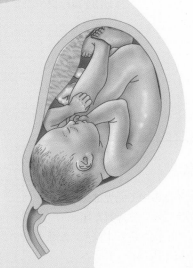

● へそのお

　へそのおは，胎児とたいばんをつないでいて，母親から養分などを胎児へ運んでいます。反対に，胎児がいらなくなったものは，へそのおを通ってたいばんへ運ばれます。胎児が生まれるころには長さは約 50 cm，太さは直径約 1 cm になります。

● たいばん

　母親と胎児をつないで，胎児の成長を守る大切なはたらきをしています。母親の体からの養分などと，胎児がいらなくなったものなどは，ここで交かんされます。

● 羊水

　子宮は羊水で満たされていて，胎児は羊水の中で成長を続けます。胎児は羊水の中でういたような状態になっています。そのため，ある程度体を自由に動かすことができます。羊水は，クッションのように外から受けるしょうげきから胎児を守ります。

　胎児が生まれるころには，羊水の量は約 500 mL になります。

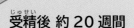

受精後 約 20 週間

息

　子宮の中で胎児は息をしていません。生まれた後，すぐに泣き声を上げて，息をし始めます。

尿と便

　生まれるころの羊水は，ほとんどが胎児の尿です。胎児が尿をするのは，胎児の体がきちんとはたらいている印です。

　便は，生まれた後にします。

 **考察** 結果からいえることを話し合いましょう。

メダカと同じように受精卵から成長するんだね。生まれてくるまでの時間が，人はとても長いんだ。

どのくらいの時間でどのくらい成長するか，グラフにするとわかりやすいかな。

予想どおり，お母さんから養分をもらっていたね。メダカとちがったよ。

発表 胎児の成長や子宮の中のようすについて，グループでまとめたことをわかりやすく説明しましょう。

メダカと同じように，1つの受精卵が変化して，胎児が成長していました。

赤ちゃんは，1.5 Lのペットボトル2本分くらいの体重で生まれてきます。

結 論

胎児は，約 38 週間，母親の子宮の中で育つ。

子宮の中の胎児は，羊水や子宮に守られながら，たいばんと
へそのおを通して母親から養分をもらい，成長して生まれてくる。

 **いろいろな動物のたんじょう**

イヌやゾウなども，人と同じように，一定期間，
母親の体の中で育ってから生まれてきます。
母親の体の中にいる期間は，動物の種類によって，
それぞれちがいます。

	母親の体の中にいる期間
ハムスター	約 16 日
イヌ	59 〜 65 日
ライオン	約 108 日
オランウータン	約 233 日
ウマ	314 〜 373 日
シロナガスクジラ	320 〜 360 日
ゾウ	623 〜 660 日

生まれたばかりの
アフリカゾウの
子ども

オランウータンの親子

ライオンの親子

おなかで子どもを育てること

胎児は母親の子宮の中で
すくすくと成長していきます。
しかし，生まれるまでは母親の
おなかの中にいるので，
外にいる人が実際に見ることは
できません。自分のおなかで
育てている母親は，いろいろな
ときに胎児が成長していることを
感じています。

赤ちゃんの重みで
こしやあしのつけ根が
いたくなり，長い間
立っていられなくなった。

夜，ねているときに，
おなかの中で赤ちゃんが動いて，
目が覚めてしまった。

母親は，たいばんやへそのおを
通して，成長のための養分を胎児へ
あたえています。
そのため，おなかに胎児がいる間，
胎児や母親自身の健康を守るために，
より体を大事にしなくてはなりません。
そのような母親たちや，生まれた後の
子どもと母親が，安全で住みやすい
社会にしていくための活動の1つと
して，右のマークがあります。
これから生まれてくる子どもたちと，
子どもたちを大切に育てている
母親たちが安心して生活できるように，
見守っていきましょう。

電車・バスの中で……

マタニティマーク
このマークがあると，
胎児が小さくてまだ
おなかが目立たない
母親でも，おなかに
胎児がいるということが
わかりやすい。

マークをつけている人は
もちろん，
つけていなくても
こまっていたら手伝おうね。

ドアを開けるとき……

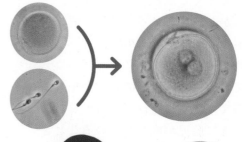

確かめよう ▶ 人のたんじょうについて，学んだことを確かめましょう。

❶ （　　）の中に当てはまる言葉を入れましょう。

> 女性（じょせい）の体の中でできた（　　　）と，
> 男性（だんせい）の体の中でできた（　　　）が，
> （　　　）して，受精卵ができる。

❷ 人のたんじょうについて答えましょう。
　㋐ 人の受精卵が育つところを何というでしょうか。
　㋑ 人の受精卵から，どのくらいの期間がたつと
　　子どもが生まれるでしょうか。
　㋒ 母親のおなかの中にいるときの子どもを
　　何とよぶでしょうか。

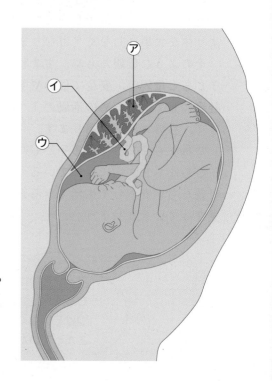

❸ 右の図は，母親の体の中のようすです。
　㋐～㋒の部分を何というでしょうか。
また，それぞれのはたらきの説明として，
正しいものを，次の**A〜C**から選びましょう。

A. 母親の体から養分などを，胎児（たいじ）に
　　運んでいる。また，胎児がいらなくなった
　　ものも，ここを通って運ばれる。
B. 胎児の周りを満たしているもの。
　　外から受けるしょうげきから胎児を守っている。
C. 母親と胎児をつないで，
　　胎児の成長を守るはたらきをしている。
　　養分などと，いらなくなったものを
　　ここで交かんしている。

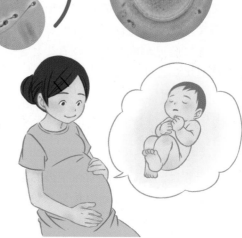

学んだことを生かして，
問題にちょう戦してみましょう。

❶ 人の受精卵の大きさは，直径約 0.1 mm です。
メダカの受精卵の大きさは，直径約 1 mm です。
メダカの受精卵のほうが人の受精卵より大きいのは
なぜでしょうか。自分の考えを説明しましょう。

❷ 人のように，母親のおなかの中で子どもを
育てると，メダカなどと比べてよいことは，
何でしょうか。自分の考えを説明しましょう。

資料
りかの
たまてばこ

動物の赤ちゃんの重さは？

　人の赤ちゃんは，母親の
体重の約 20 分の 1 の大きさで
生まれてきます。それでは，
ほかの動物はどうでしょうか。

　イルカは，母親の体重の約
3 分の 1 で生まれ，すぐに
自分の力で泳ぐことが
できます。また，カンガルーの
赤ちゃんは 30 万分の 1 と
とっても小さく生まれます。

　人の赤ちゃんとほかの動物の
赤ちゃんについて，
同じところとちがうところを
話し合ってみましょう。

	母親の体重と比べたときの赤ちゃんの重さ
カンガルー	30 万分の 1
カバ	100 分の 1
チンパンジー	40 分の 1
ゾウ	25 分の 1
人	20 分の 1
アザラシ	10 分の 1
イルカ	3 分の 1

生まれたばかりの
カンガルーの赤ちゃん

イルカの親子

生命のつながり

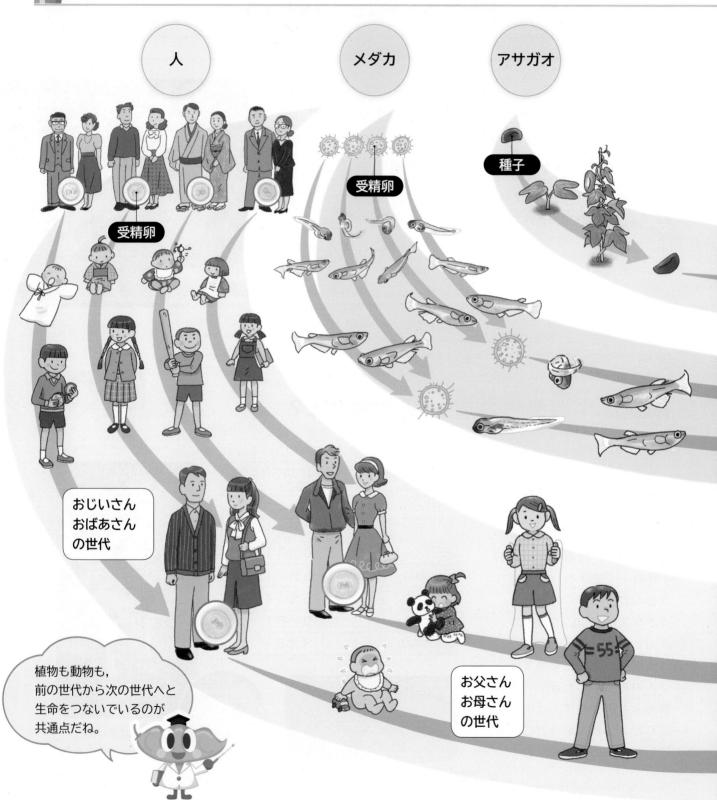

人　メダカ　アサガオ

受精卵

種子

受精卵

おじいさん
おばあさん
の世代

植物も動物も，
前の世代から次の世代へと
生命をつないでいるのが
共通点だね。

お父さん
お母さん
の世代

　アサガオやツルレイシなど多くの植物は，種子が発芽して成長し，やがて
花がさきます。受粉(じゅふん)すると実ができ，その実の中には次の世代の種子ができます。
　メダカや人など多くの動物は，受精卵(じゅせいらん)が変化しながら成長し，子どもになります。
その子どもが育って親となり，次の世代の子どもが生まれます。
　生物はこのようにして，次の世代，その次の世代へと，生命をつないでいきます。

成長

成長

成長

自分の世代

理科のノートの書き方

ノートは，結果を記録するだけでなく，ふり返ったときに「予想」「考察」「結論」などがわかるように，下の例を参考にして書こう。

一度書いたことは消さないようにしよう。

---

① 12月10日（木）　晴れ　気温 10 ℃

問　題

②
> ふりこの1往復する時間は，何によって変わるのだろうか。

予　想

③
ふりこの長さが関係していると思う。長いほうが長さの分だけ1往復する時間が長くなると思う。

実験方法

④
ふりこの長さを変えて，ふりこの1往復する時間を調べる。

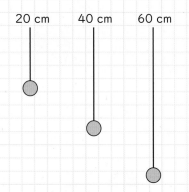

20 cm　　40 cm　　60 cm

結　果

⑤

ふりこの長さ		20 cm	40 cm	60 cm
10往復する 時間（秒）	1回目	9	12	15
	2回目	8	14	16
	3回目	9	13	16
	合計	26	39	47
10往復する時間の平均（秒）		8.7	13	15.7
1往復する時間の平均（秒）		0.9	1.3	1.6

考　察

⑥
・予想どおり，ふりこの長さが変わるとふりこの1往復する時間は変わった。
・ふりこの長さを短くすると，1往復する時間が短くなる。
・ふりこの長さを長くすると，1往復する時間が長くなる。

結　論

⑦
> ・ふりこの1往復する時間は，ふりこの長さによって変わる。
> ・ふりこの長さが長いときほど，1往復する時間が長くなる。

感　想

⑧
ふりこの長さを変えると，ふりこの1往復する時間が変わったが，おもりの重さやふれはばを変えるとどうなるのだろうか。

---

① 書き始めは，「日にち」「天気」「気温」などを書こう。

② 学習問題は□で囲み，学習の目的をはっきりさせよう。

③ 自分の考えや，考えた理由を書こう。これまでに学習したことや生活の中での経験をもとに考えよう。

④ ふり返ることができるように，実験方法や手順を書いておこう。

⑤ 結果はできるだけ図や表にまとめよう。ここでは事実だけを書くようにしよう。うまくいかなかったことも書こう。

⑥ 自分の予想したことをふり返り，結果からどのようなことがいえるか，まとめていこう。

⑦ 「結論」は□で囲み，学習問題に対する答えになるように書こう。

⑧ この学習から新しく思ったことや，さらに調べてみたいことを書こう。

コンピュータで調べよう

◎ コンピュータで表やグラフを
作ってみよう。

- 調べた結果をもとに,
表やグラフを作ってみよう。
①コンピュータの表作成ソフトを
立ち上げる。
②調べた結果を表に入力する。
③グラフ作成機能を使って,
表からグラフを作成する。

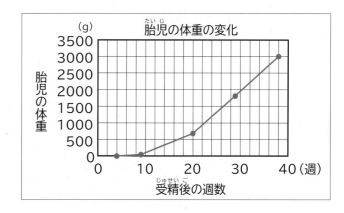

胎児の体重の変化

◎ インターネットでウェブサイトを見てみよう。

- 理科の学習で調べたい言葉をローマ字入力して
けんさく(検索)してみよう。
- 興味をもったウェブサイトがあったら,
記録しておこう。
- 記録した結果を友達と伝え合い,
感想を話し合おう。

ローマ字で JUH(F)UNN と入力すると…

受粉　　　　　　　　　検索

入力した言葉がここに出ます。
その後,「検索」をクリックします。
または, Enter キーをおします。

注意 インターネットでウェブサイトを見るときは,
先生や家の人といっしょに行う。

インターネットでは,
本のけんさくもできるよ。

図書館の本で調べよう

① 調べたいことをノートに書こう。

② 図書館(図書室)に行って, 調べたいことに
関係のある本をさがして調べよう。
調べたことは, ノートに記録しよう。

③ 本のさがし方がわからないときは,
先生や図書館の係の人に聞こう。

◎ 週に1回以上は図書館に行こう。

本のしょうかい

科学館・博物館 に行ってみよう

科学館・博物館・水族館では，理科の学習に関係のあるイベントや
てんじを行っています。実際に見学して，学習を深めましょう。

● 川口市立科学館　埼玉県 川口市
実験や観察を体験できるてんじ物がそろっています。
これまでの学習と関係のあるてんじを見つけて，体験してみましょう。

● 新江ノ島水族館　神奈川県 藤沢市
相模わんの海を再現した相模ゾーンや，
体験しながら湘南の海岸を
学べるコーナーなどがあります。

● **竹島水族館** 愛知県 蒲郡市

海，湖や川の生きものをてんじしています。
深海の生きもののてんじが豊富です。
手作りの解説プレートで楽しく学べます。

● **福岡市科学館** 福岡県 福岡市

うちゅうやかん境，生活や生命などと関わりの深い
基本てんじ室や，科学の楽しさを体験できるコーナーが
あります。き業がもつ科学技術のてんじもあります。

わたしたちの 理科室

□ 先生の指示は
いつでも聞ける
ようにしよう。

□ 準備室に勝手に
入ってはいけないよ。

身なりをチェックしよう。

□ 長いかみは結ぶ。
□ ボタンやジッパーはしめる。
□ 服のそでやひもが器具に
かからないようにする。

理科室にはどのような器具や道具が
あるのでしょうか。
どのような実験をするのでしょうか。
きまりを守って，安全に実験
しましょう。

【理科室のきまり】

なぜこのようにするのか，理由も考えよう。

実験の準備をするとき

- ☐ 器具はトレーなどに入れて，落とさないようにしっかり持って，静かに運ぶ。
- ☐ つくえの上には実験に必要なものだけを置く。

《火を使うとき》
- ☐ ぬらしたぞうきんや燃えがら入れなどを用意する。
- ☐ 燃えやすいものはしまう。

《薬品を使うとき》
- ☐ 保護めがねをかける。
- ☐ 薬品が区別できるようになっているか確にんする。

実験をするとき

- ☐ 実験は立って行う。いすを使わないときは，つくえの下にしまう。
- ☐ 実験はできるだけつくえの真ん中で行う。
- ☐ 周りの友達とぶつからないように，できるだけ場所を広くとって実験する。

《火を使うとき》
- ☐ 水などを熱するときは，保護めがねをかける。
- ☐ 液体を熱しているときは，液体に顔を近づけない。
- ☐ かん気をする。

《薬品を使うとき》
- ☐ 薬品は手でふれたり口に入れたりしない。
- ☐ 薬品の量は先生の指示のとおりにする。

液体に顔を近づけない。

実験が終わったら

- ☐ ガラス器具などはあらって，かわかす。
- ☐ 使ったものは元の場所にしまう。
- ☐ 手をあらう。

《火を使ったとき》
- ☐ 熱したものや使った器具は，冷めるまでさわらない。

《薬品を使ったとき》
- ☐ 薬品は，先生の指示にしたがって，決められたところに集める。

ぬれていると
すべりやすいので，
注意して持つ。

このようなときは

- ☐ やけどをしたら，すぐに水などで十分に冷やす。また，すぐに先生に知らせる。
- ☐ 薬品が手についたときや目に入ったときは，すぐに流水であらい流す。
　　また，すぐに先生に知らせる。
- ☐ 器具などをこわしたら，さわらずにすぐに先生に知らせる。
- ☐ 地しんが起こったら，先生の指示にしたがって行動する。

使い方を覚えよう

正しい使い方を覚えて,
安全に観察や実験をしよう。

方位磁針 | はりの,色のついている先が北をさすため,方位を知ることができる。

止まったときに,
はりの,色の
ついている
先がさしている
向きが北。

ポイント

磁石（じしゃく）のそばに
置かない。

南 東 西 北

① 方位磁針が水平に
なるように手のひらに置く。
はりの動きが止まるまで待つ。

② ケースを回して,
はりの,色のついている
先の向きと文字ばんの
「北」の向きを合わせる。

虫めがね | 小さなものを大きくして見ることができる。

● 動かせるものを見るとき

① 虫めがねを目の近くに持つ。

② 見るものを虫めがねに近づけたり遠ざけたりして,
はっきりと見えるところで止める。

● 動かせないものを見るとき

① 虫めがねを目の近くに持つ。

② 見るものに近づいたり遠ざかったりして,
はっきりと見えるところで止まる。

注意

目をいためるので,
虫めがねで太陽を
見てはいけない。

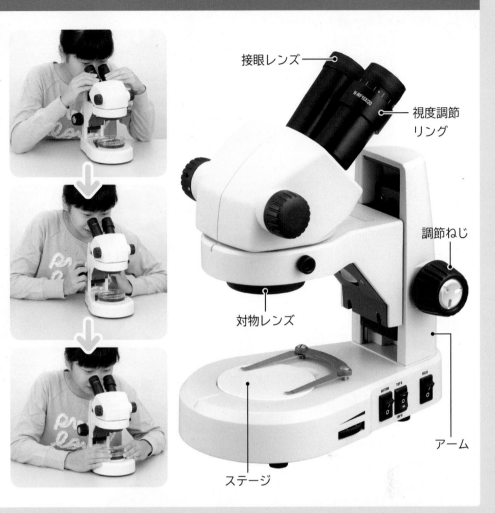

① 見るものをステージの上に置く。接眼レンズのはばをおおよそ目のはばに合わせ，両目で見る。見えているものが1つに重なるようにはばを調節する。

② 右目でのぞきながら調節ねじを回して，はっきり見えるように調節する。左目でのぞきながら，視度調節リングを回して，はっきり見えるように調節する。

③ 観察したい部分が，対物レンズの真下にくるようにして観察する。

接眼レンズ

視度調節リング

調節ねじ

対物レンズ

ステージ

アーム

---

① 反しゃ鏡の向きを調節し，上からのぞいたときに，明るく見えるようにする。

② 見るものをステージの上に置く。

③ 観察したい部分がレンズの真下にくるようにする。

④ 調節ねじで接眼レンズを上げ下げして，よく見えるようにする。

注意 目をいためるので，直しゃ日光の当たらない明るいところに置いて使う。

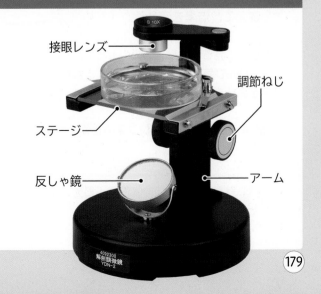

接眼レンズ

調節ねじ

ステージ

反しゃ鏡

アーム

けんび鏡 | 小さなものを大きくして見ることができる。

① 対物レンズを一番
低い倍率にする。
接眼レンズをのぞきながら，
反しゃ鏡の向きを変えて，
明るく見えるようにする。

② スライドガラスを
ステージの上に置き，
観察したい部分が，
あなの中央に
くるようにする。

③ 横から見ながら
調節ねじを少しずつ回し，
対物レンズと
スライドガラスの間を
できるだけせまくする。

④ 接眼レンズをのぞきながら
調節ねじを回し，
対物レンズと
スライドガラスの間を
少しずつ広げて，ピントを
合わせる。

⑤ 対物レンズや接眼レンズを
変えて，倍率を変える。

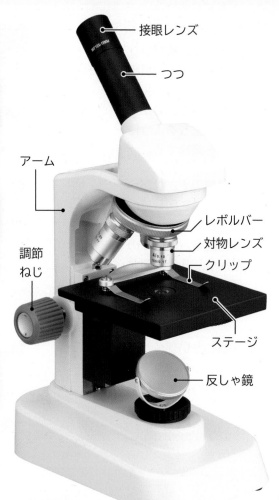

接眼レンズ

つつ

アーム

調節
ねじ

レボルバー

対物レンズ

クリップ

ステージ

反しゃ鏡

反しゃ鏡を発光ダイオード
などの光げんに変えられる
けんび鏡もある。

けんび鏡で見ると，見るものの上と下，左と右が逆に見える。
また，けんび鏡の倍率は接眼レンズと対物レンズの組み合わせで決まる。
倍率を高くすると，より大きく見える。

(倍率) = (接眼レンズの倍率) × (対物レンズの倍率)

注意 目をいためるので，直しゃ日光の当たらない
明るいところに置いて使う。

けんび鏡を
運ぶときは，
アームと下部を
支えて持つ。

電子てんびん ｜ ものの重さを数字で表す。

① 電子てんびんを水平なところに置く。

② スイッチを入れ，表示が「0」であることを
確かめる。「0」でないときには「0 キー」をおす。

③ はかるものを静かに皿の上にのせる。
表示の数字が安定したら，その数字を読む。

薬包紙などにのせてものの重さをはかるときは，
皿に薬包紙を置いた後，「0 キー」をおして
表示を「0」にしてから，ものをのせる。

皿

スイッチ

0 キー

メスシリンダー ｜ 必要な体積の液体をはかりとることができる。

● 水 50 mL をはかりとるとき

① メスシリンダーを
水平なところに置く。

② 50 の目もりより
少し下のところまで
水を入れる。

③ スポイトを使って，
水をメスシリンダーの
内側に伝わらせて入れ，
50 の目もりに
水面を合わせる。

真横から見る。

水面のへこんだところの面⑦と
目もり線の⑦とが重なって
見えるように水を入れる。

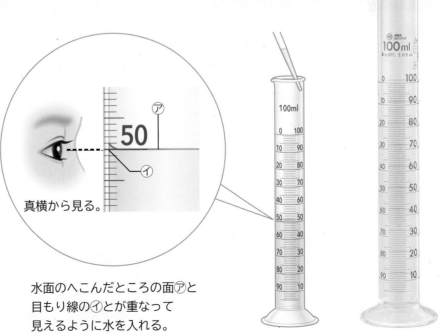

ろ過 <small>かけ</small> | 液体をこして，混ざっている固体をとりのぞく。

① ろ紙を折り，開く。

② ろ紙をろうとにはめ，水でぬらす。

③ ろうとをろうと台にのせ，かくはんぼうに伝わらせて液体を静かに注ぐ。

ろうと台 — かくはんぼう

固体がたまる。

ろ過した液体（ろ液）がたまる。

ろうとの先をビーカーの内側につける。

こまごめピペット | 液体をすいとって，別の容器に移すことなどができる。

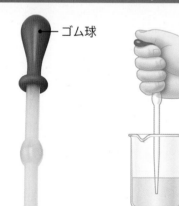
ゴム球

① ゴム球をおしつぶしてから，こまごめピペットの先を液体の中に入れる。

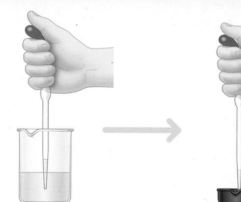

② ゴム球をそっとはなしながら，液体をゆっくりすい上げる。

③ ゴム球を軽くおして，別の容器に液体を入れる。

ポイント ゴム球に液体が入るとゴム球をいためるので，こまごめピペットの先を上に向けない。

実験用ガスこんろ ┊ ものを熱することができる。

《準備》
- 平らな安定した場所に置く。
- ガスボンベを切れこみにそって カチッと音がするまで入れる。
- ぬらしたぞうきんを用意する。

注意
- 火がついたままガスこんろを動かしてはいけない。
- 火を消した後も，ガスこんろやガスボンベには，冷めるまでさわらない。

1 火をつける。
　火力を調節するつまみをカチッと音が するまで「点火」のほうに回して，火をつける。

2 火力を調節する。
　つまみを回して，火力を調節する。

3 火を消す。
　つまみを「消」まで回して，火を消す。 火が消えていることをしっかり確かめる。
　ガスこんろやガスボンベが冷めたら， ガスボンベを外す。もう一度つまみを 「点火」まで回して，中に残ったガスを燃やす。

火力を調節するつまみ

かんい検流計 ┊ 回路に電流が流れているかどうか，またその向きや大きさを調べることができる。

《点検》
- はりが「0」をさしているか確にんし，ずれていたら直す。

1 切りかえスイッチを大きな電流を はかることができる 「電磁石（5 A）」側に入れる。

注意 かんい検流計だけを かん電池につないではいけない。

2 回路のとちゅうにつなぐ。

3 回路に電流を流す。 かんい検流計のはりのふれる 向きが電流の向きになる。 また，はりが示す目もりの 数字が電流の大きさになる。

4 はりが示す目もりの数字が 0.5 より小さいときは， 切りかえスイッチを 「まめ電球（0.5 A）」側にする。 そのときの電流の大きさは，はりが 示す目もりの数字の 10 分の 1 になる。

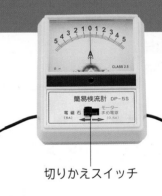

切りかえスイッチ

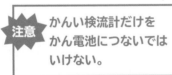

電流の向き ⟶

電流計
電流計を使うと， 電流の大きさを くわしくはかる ことができる。

学んだことをまとめて，
6年の学習につなげよう。

ふりこの動き
126 ～ 139 ページ

☐ ふりこの1往復する時間は，
おもりの重さやふれはばに
よっては変わらないが，
ふりこの長さによって変わる。

ふれはば
（角度）

ふりこの長さ

おもり

1往復

ふりこの長さが
長いときほど，
ふりこの1往復する
時間が長くなる。

電磁石の性質
140 ～ 157 ページ

☐ コイルの中に鉄心を入れて電流を
流すと，鉄心が磁石になる。

☐ 電流の向きが変わると，
電磁石の極が変わる。

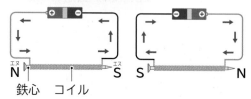

N　　　　S　　　S　　　　N

鉄心　コイル

☐ 電磁石の強さは，電流の大きさや
コイルのまき数によって変わる。

50回まき

かん電池1個

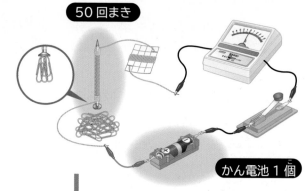

100回まき

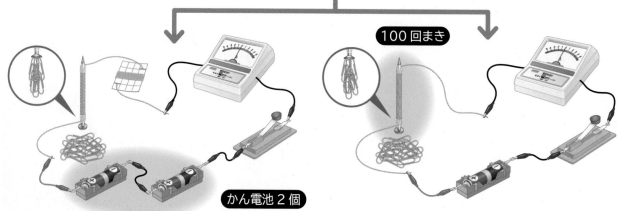

かん電池2個

もののとけ方

106 ～ 125 ページ

□ 水にものをとかした後の水よう液の重さは,
　とかす前の水とものを合わせた重さと等しい。

水 50 g

食塩 5 g

食塩の水よう液
55 g

□ の中に言葉を入れよう。

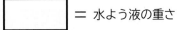
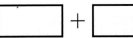　+　□　=　水よう液の重さ

コーヒーシュガー

かき混ぜる。

水全体に一様に広がる。

□ ものが水にとける量には, 限りがある。

食塩 15 g　　水 50 mL　　**とける。**

食塩 20 g　　水 50 mL　　**とけ残る。**

□ ものが水にとける量は, 水の量や温度,
　とけるものによってちがう。

□ とけているものを
　とり出すことができる。

とける量を増やすとき。

水の量を増やす。　　温度を上げる。

湯

とけているものをとり出すとき。

水の量を減らす。　　温度を下げる。

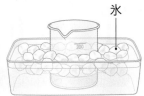
氷

□ 植物は，種子の中の養分を使って発芽する。

［　　　　　］ … 種子から芽や根が出ること。

ヨウ素液をかける。

発芽前の
子葉

発芽後の
子葉

ヨウ素デンプン反応

デンプンにヨウ素液を
かけると，
青むらさき色に変わる。

ヨウ素液

□ 植物の発芽には，水，空気，温度が
関係している。

□ 植物の成長には，水，空気，温度，
日光，肥料などが関係している。

発芽に必要な条件

水　　空気
温度

成長に必要な条件

水　　　空気
温度
日光　　肥料

□ 花にはおしべやめしべなどがあり，
花粉がめしべの先につくと
めしべの元が実になり，種子ができる。

［　　　　　］ … めしべの先に花粉がつくこと。

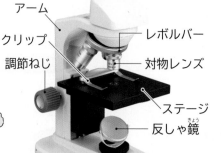

花びら
おしべ　　めしべ
がく

おしべ　　めしべ
花びら
がく

おばな　　めばな

接眼レンズ
つつ
アーム
クリップ
調節ねじ
レボルバー
対物レンズ
ステージ
反しゃ鏡

けんび鏡

けんび鏡の使い方

❶
明るさを調節し，
スライドガラスを
ステージの上に置く。

❷
スライドガラスと
対物レンズの間を
せまくする。

❸
ピントを合わせる。

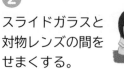

メダカのたんじょう ／ 人のたんじょう
44〜55 ページ / 158〜169 ページ

☐ 魚にはおすとめすがあり，
生まれたたまごは，日がたつにつれて
中のようすが変化してふ化する。

おす

せびれ

しりびれ

めす

せびれ

しりびれ

☐ 人は，母親の子宮の中で成長して
生まれる。

〔　　　　　〕…たまご（卵）と精子が
結びつくこと。

受精卵

子宮

たいばん

胎児

へそのお

羊水

流れる水のはたらきと土地の変化
86〜105 ページ

☐ 流れる水には，土地をしん食したり，
石や土などを運ぱんしたり
たい積させたりするはたらきがある。

☐ 山の中を流れる川と平地を流れる川は，
川原の石の大きさや形にちがいがある。

☐ 雨のふり方によって，流れる水の速さや
量は変わり，増水により土地のようすが
大きく変化することがある。

平地を流れる川の川原　　山の中を流れる川の川原

天気の変化 ／ 台風と防災
6〜23 ページ / 56〜65 ページ

☐ 天気の変化は，
雲の量や動きと
関係がある。

☐ 天気の変化は，
えい像などの
気象情報を
用いて予想できる。

● 天気は，雲の量が増えたり減ったりすることや
雲が動くことによって変化している。
● 雲には，いろいろな種類がある。

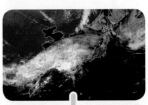 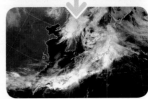

天気は，およそ西から東へ
変化していく。

【チャレンジ問題】

次の問題に
チャレンジしましょう。

❶ まさきさんとあやかさんは，図のような
水そう(すい)でメダカを飼(か)いましたが，たまごを
産みませんでした。たまごを産まない
原因(げんいん)として考えられることは何でしょうか。
考えられる原因を書きましょう。

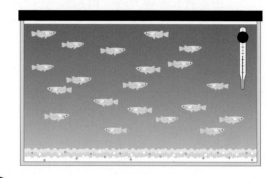

まさきさん

メダカは 20 ぴきいるのに，
なかなかたまごを産まない…

あやかさん

水温が低いのかな。

❷ 水そうの条件(じょうけん)を変えると，メダカのたまごが
生まれました。たまごをくわしく見てみると，
たまごの中のようすが見えました。
このたまごはあと何日でふ化(か)すると考えられますか。
資料(しりょう)を参考に考え，その理由(り)も書きましょう。

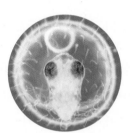

まさきさんが観察した
メダカのたまごのようす

[資料]

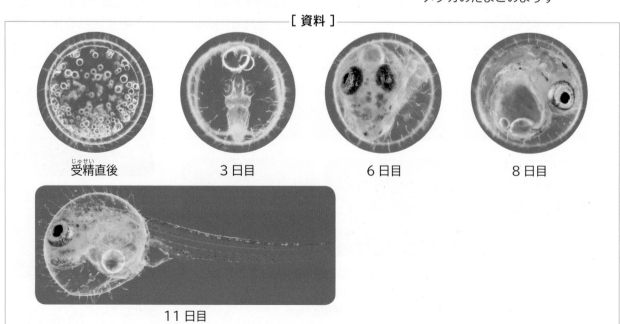

受精直後(じゅせい)　　　3日目　　　6日目　　　8日目

11日目

❸ まさきさんは，電磁石の性質を生かして自動えさやり機を作ることにしました。

まさきさん

えさ箱に磁石をつけて，電磁石の性質でえさ箱が動くしくみを考えたよ。

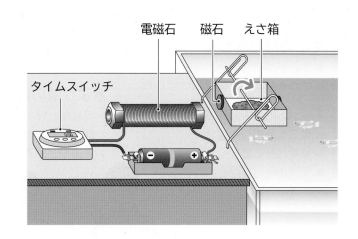

電磁石　磁石　えさ箱

タイムスイッチ

[まさきさんが考えた自動えさやり機]

● 磁石のしりぞけ合う力で，えさ箱が
　矢印の向きに回転し，えさが落ちる。
● タイムスイッチに時こくを設定し，
　設定した時こくに電流が流れるようにする。

　電磁石に電流を流しても，えさ箱は動きませんでした。そこで，まさきさんは，電磁石の強さを強くすればよいと考え，コイルのまき数やかん電池の数を変えて，電磁石の強さのちがいについて調べるために，実験Aを行いました。
　実験Aと比べる実験としてよいと思われるものを㋐～㋓から2つ選びましょう。

[実験A]
（コイルは100回まき）

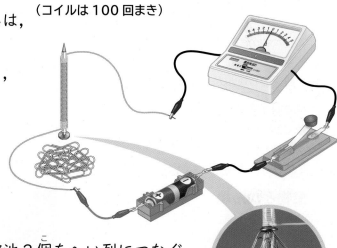

㋐ コイルのまき数を 50 回にし，かん電池 2 個をへい列につなぐ。
㋑ コイルのまき数を 100 回にし，かん電池 2 個を直列につなぐ。
㋒ コイルのまき数を 200 回にし，かん電池 2 個を直列につなぐ。
㋓ コイルのまき数を 200 回にし，かん電池を 1 個にする。

❹ 電磁石の強さを強くすると，えさ箱が動きましたが，まさきさんの考えていた向きと反対に動いてしまいました。そこで，あやかさんは電磁石をくふうして，考えたとおりの向きに動くようにしました。あやかさんが，どのようなくふうをしたのか，考えましょう。

電磁石の極を変えるには…

まさきさん　あやかさん

6年生になったら……

6年の理科では，次のようなことを学びます。

てこのはたらき
- てこがつり合うときのきまり
- てこを利用した道具

わたしたちの生活と電気
- 電気を利用した道具
- 発電とちく電
- 電気の光や音などへの変かん

もののも燃え方
- もののも燃え方のしくみ

水よう液の性質
- 気体がとけている水よう液
- 酸性・アルカリ性・中性
- 金属をとかす水よう液

土地のつくりと変化
- 土地をつくっているものと化石
- 地層のでき方
- 火山・地しんと土地の変化

月と太陽
- 月の形の変化

6年生になったら，どのようなことを調べるのかな。

体のつくりとはたらき
- こきゅうのしくみ
- 食べものの消化ときゅうしゅう
- 主なぞう器とそのはたらき
- 血液のじゅんかんとはたらき

植物の成長と日光，水の関わり
- 成長と日光の関わり
- 成長と水の関わり

生物とかん境きょう
- 食べものを通した生物どうしの関わり
- 生物と空気の関わり
- 生物と水の関わり
- 地球かん境とわたしたちの関わり

6年の学習の準備じゅんび

「植物の成長と日光の関わり」を調べる学習は，ジャガイモで行う。ジャガイモを植えて，準備しておこう。

[ジャガイモの育て方]

1. 土を深く耕して肥料たがやひりょうを入れ，10 cmくらいの深さにたねいもを植える。

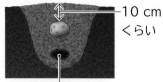

— 10 cm くらい

肥料

2. ジャガイモが5〜10 cmくらいにのびてきたら，成長のよいものを1〜2本残して育てる。

根元をおさえて，ねじりながら引きぬく。

科学者の言葉

アルベルト・アインシュタイン
（1879〜1955年）

" わたしに特別な才能さいのうはありません。
ただ，いろいろなものへの興味きょうみや
関心が強いだけです。

I have no special talent. I am only passionately curious. "

英語 ABC

ドイツ生まれの科学者アインシュタインは，物理学の分野の研究を行い，科学の世界にかく命的めいてきな考えをもたらしました。おさないころは話すのが苦手でしたが，算数は得意とくいでした。バイオリンを習い，モーツァルトの曲が大好きだったそうです。

災害に備えようブック

台風や大雨によるひ害を防いだり、減らしたりするために、気象情報に十分に注意しましょう。そして、災害にどのように備えればよいか、ふだんから家族で話し合っておきましょう。

― 山 折 り ―

災害・ひなんカード

このようなカードを作っておくといいよ。

災害	ひなん場所	ひなんの合図
（例）A 川のこう水	B 小学校	こう水けい報が出たとき

大雨がふる前や、風が強くなる前に、次のことを確にんしましょう。

ひなん場所

・学校や公民館などのひなん場所を決める。
・ひなん場所への行き方を確にんする。
・連らく方法を決める。
・ひなんするときは持ちものは少なく、両手が使えるようにリュックサックなどに入れる。

家の中の備え

・非常用品を確にんする。
・まどガラスがわれたときに飛び散らないように、フィルムをはったり、カーテンやブラインドをおろしたりする。
・水道が止まったときのために、飲み水とは別に生活用の水を浴そうなどにためておく。

家の外の備え

・まどや雨戸はしっかりとかぎをかけ、ほ強をしておく。
・はい水口などはそうじをして、水はけをよくしておく。
・風で飛ばされそうなものは、ほ強をしたり家の中に入れたりしておく。

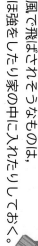

非常用品のチェックリスト

日用品
□ リュックサック
□ 防災頭きんやヘルメット
□ 地図
□ ナイフ
□ かん切り
□ なべや水とう
□ かい中電灯
□ ラジオ
□ 電池
□ ロープ
□ マッチやライター
□ インスタントかいろ
□ ティッシュペーパー
□ ごみぶくろ　など
□ 筆記用具

飲み水や食べもの
□ 飲み水
□ かんパンやクラッカー
□ レトルト食品
□ かんづめ　など

薬
□ 救急セット
□ マスク　など

身につけるもの
□ 下着
□ タオル
□ ねぶくろ
□ 雨具
□ 作業用手ぶくろ
□ くつ　など

きちょう品
□ 現金
□ 通帳
□ 印かん
□ 身分証明書　など